朝日新書
Asahi Shinsho 845

いつもの言葉を哲学する

古田徹也

朝日新聞出版

序章

古代ギリシアではある時期、「ソフィスト」――元々のギリシア語では、「知者」を意味する「ソピステース」――を自称する専門的職業人が活躍していた。

ソフィストたちは、金銭を見返りにして、政治や社会において成功するための大いなる力を市民に授けた。それは具体的には、言葉を駆使する力、弁論の力だったという。

> ……ソフィストが実質的に行使し、また、人々に教授したのは、「言論《ロゴス》」を操る術であった。法廷や民会でいかに上手に言論を語り相手を説得するかが、ソフィストの授ける教育の中核にあった。ソフィストたちはみな、直接・間接に「言論の技術」、すなわち「弁論術《レトリーケー》」に関わっている。[1]

ソフィストたちは、弁論術の理論を磨き、実践と教授を重ねた。プロタゴラス（前五世紀頃）のように莫大な報酬を得ていた者もいる。それほどに役に立ったのだ。

言葉は人の生活や思考の隅々に行き渡っており、陰に陽に甚大な影響を与えている。言葉を巧みに操れば、根拠の弱い主張を強く見せることもできるし、同じ事柄を賞賛することもできれば非難することもできる。自分を偉大に見せ、自分のしたいことに支持を集めることもできる。ソフィストたちは、ときに言葉を魔術や呪術になぞらえもした。

たとえば、ソフィストの代表格のひとりであるゴルギアス（前五〜四世紀頃）は、その著書において次のように述べている。

言葉は強大なる支配者であり、その姿は微小で目に見えず、神妙のはたらきをする。恐怖を消し、苦痛を除き、喜びをつくりだし、憐憫《れんびん》の情を高める。……どれほど多くの人びとが、どれほど多くの人びとを、どれほど多くの事柄に関して、偽りの言葉をこしらえて説得し、また説得しようとしていることか。[2]

ソフィストたちは、言葉それ自体に深く着目していた。彼らは弁論術の研究のほかに、動詞の時制を分類したり、平叙体、疑問体、返答体、命令体などの区別を行ったとも伝えられている。彼らは、言葉の面白さとその恐ろしい力とを、痛いほど理解していたのだ。

＊＊＊

本書は、私たちの生活のなかで息づく言葉のありようや、その重要性、面白さ、そして危うさというものを、多様な観点から辿《たど》っていくものだ。

第一章では、言葉とともにある生活の具体的な姿を見ていきながら、言語とは〈生ける文化遺産〉であり、言葉を用いることはそれ自体、私たちの生活のかたちの一部である、という点を確認する。また、これと関連して目を向けるのが、多くの言葉には物事に対する特定の見方が含まれているという事実だ。言葉にはこの特徴があるために、私たちは、言葉の古い用法や意外な用法、あるいは誤った用法などに触れることで、普段は気に留めていなかった物事に注目したり、それを従来とは異なる仕方で捉える機会を得ることができるのである。

続く第二章で取り上げるのは、私たちが用いるべき語彙や表現形式といったものに対する過度の規格化や、あるいは「お約束」の蔓延《まんえん》といった事態である。この章では、これらの事態が言葉の平板化や応答の形骸化を招く次第を跡づけ、言葉の勢いや熱量といったものが物事の真偽や価値の代用品となりがちな現状を問題にする。そして、話し手と聞き手がお互いに相手を急《せ》かさずに、その場で言葉が紡がれるのを忍耐強く待つ実践、および、お互いの言葉やそれに関連する物事をよく吟味し合う営みとしての「批判」を行う実践が、私たちの社会や生活において必要であることを確認する。

そして、その後に本書は、個別の言葉についてのより踏み込んだ探究へと入っていく。まず第三章では、氾濫《はんらん》する不可解な言葉遣い、無数に飛び交うカタカナ語や専門用語など、私たちの生活に溢れる新しい言葉をさまざまに取り上げながら、それらの特徴を分析する。そのなかで、たとえば言葉の急な言い換えには弊害が大きいということ、それから、公共性の高い領域における新語の導入は「はじめが肝心」だということ――初期段階で適切な言葉を、有識者や専門家だけではなく皆でよく吟味する必要があること――が見えてくるだろう。新語の導入は、物事の新しい見方を生み出したり、物事の重要な側面にあらためて人々の注意を向けることもあれば、逆に、物事の輪郭自体をぼやかして見えにくくさせてしまうこともある。そうした長短両面の影響をよく見極めていくことの重要性が、この章の主題となる。

最後の第四章は、時代や状況の変化とともに移ろいゆく言葉の意味について、また、私たちの社会や生活の変化と、古びて廃れていく言葉の間のずれについて、さらには、言葉の意味の歪曲や「型崩れ」といった現象について、具体的な言葉の吟味を通して考えていく。そのなかで浮き彫りになるのは、言葉の意味や用法というのは、私たちの社会や生活にとって些末なものではなく、むしろその生命線であり急所でもある、ということだ。この章では、専門家と市民をつなぐ言葉をめぐる積年の課題を取り上げるほか、言葉の意味の恣意《しい》的な「変更」という、政治をはじめとする場で頻発する問題などにも触れながら、言葉を雑に扱わずに、その配置や微妙なニュアンスの違いに注意を向けることが、私たちにとってきわめて重要な意義をもつことを明らかにする。


以上のように、本書で取り上げる話題は多岐にわたりつつ、それぞれが緩やかに結びついている。比較的独立性の高い内容の節もあるが、全体的には、それまでの節の内容を前提にして次の節を配置しており、第一章の最初の節から順に読まれることを想定している。

そして、おおよそどの節も、私自身がこれまで実際に経験したことや見聞きしたことをめぐって綴っている。とりわけ、ここ五年間ほどの比較的新しい出来事が多い。そのため、この本で取り上げている言葉のいくつかや、それらと直接関係する社会問題は、数年後や数十年後には消え去っていることだろう。

しかし、同様の問題はこれまでも繰り返されてきたし、今後もおそらく繰り返されていく。本書で私が、いま現在の言葉とそれをめぐる諸状況を扱うことにこだわったのも、そのように繰り返される問題の本質を、明確な手触りのもとに取り出したいと考えたからだ。逆に、一般論に終始していては、現実のものとして個々の問題を把握することがどうしても難しくなってしまう。

問題が繰り返されるたびにより悪くなっていくのではなく、むしろ、少しでもよりよくなっていくように。――本書の特に第二章以降は、そのことを願ってさまざまな批判や提案を行っている。

本書に登場する言葉には、現実をぼやかす言葉、責任を回避する言葉、人を傷つけ排除する言葉、対話を拒絶する言葉などもあれば、これまで注意を向けられなかったものを見事に捉える言葉、文化の奥行きを反映する趣《おもむき》ある言葉、人生と生活の瞬間を切り取る愉《たの》しい言葉や美しい言葉などもある。

本書は、そうした多様な言葉を哲学する。「哲学」とはこの場合、「批判《クリティーク》」の営みのことであり、そして、「批判」とは本来――後の第二章第5節で主題的に論じるように――「非難」や「攻撃」のことではなく、対象をよく吟味し、その問題や可能性を明確にする営みのことを指す。

かつて哲学者のウィトゲンシュタイン（一八八九―一九五一）は、「すべての哲学は「言語批判」である」[3]と語った。本書もまた「言語批判」を行うものだが、扱うのはいつもの言葉たちだ。すなわち、私たちの生活の中に織り込まれてきた言葉、そして、私たちがいまよく見かける言葉、いま繰り返し用いている言葉を哲学する。

多様な言葉のもつ多様な側面を見渡し、「批判」しつつ、全体として本書が探究するのは、言葉を大切にするとは実際のところ何をすることなのか、という問いである。その過程で、〈言葉は生活とともにあり、生活の流れの中ではじめて意味をもつ〉という事実を、私たちは何度も確認できるだろう。そしてまた、〈しっくりくる言葉を慎重に探し、言葉の訪れを待つ〉という仕方で自分自身の表現を選び取り、他者と対話を重ねていく実践が、いまの私たちにこそ与える重要性も、次第に浮かび上がってくるだろう。

かつてソフィストたちが洞察した通り、言葉は非常に面白く、また、ひどく恐ろしい。本書が、言葉の力に注意を向け、それをよりよく用いるためのひとつのきっかけや手掛かりになるのであれば、著者としてこれ以上の喜びはない。

1　納富信留「ソフィスト思潮」、『哲学の歴史』1、中央公論新社、二〇〇八年、二六二頁
2　『ソクラテス以前哲学者断片集』第V分冊、訳・小池澄夫、岩波書店、一九九七年、七三頁
3　ウィトゲンシュタイン『論理哲学論考』、訳・野矢茂樹、岩波文庫、二〇〇三年（原典初刊：一九二二年）、四・〇〇三一節

いつもの言葉を哲学する　目次

序章　3

第一章　言葉とともにある生活　21

1「丸い」、「四角い」。では「三角い」は？　22
言葉を学ぶことは、社会のあり方や生活のかたちを学ぶこと
誤用に宿る自由ときらめき

2 きれいごとを突き放す若者言葉「ガチャ」　26
諧謔と皮肉と、深い諦念　すべては運か、それとも努力か
「ガチャ」の比喩が過剰な説得力をもつ理由

3「お手洗い」「成金」「土足」──生ける文化遺産としての言葉　33
比喩は特定の生活形式や文化のなかで生きる　「一日」はなぜ「ついたち」なのか

4 深淵を望む言葉──哲学が始まることの必然と不思議　38
「昔がなくなっちゃう！」　世界のはじまりは？ 終わりは？ 果ては？
哲学的な問いが立ち上がる瞬間

5 オノマトペは幼稚な表現か　43

「がぶがぶ」は飲むこと？　嚙むこと？　「言語以前の感覚」と結びつく言葉
6 「はやす」「料る」「ばさける」——見慣れぬ言葉が開く新しい見方 48
幸田文のエッセイを繙く　番茶は「こっくり」とおいしい
物事の受けとめ方が変わる瞬間
7 「かわいい」に隠れた苦味 56
無遠慮な言葉の奥にあるもの　「かわいい」と「かわいそう」の近さ
言葉の歴史によって気づかされるもの
8 「お父さん」「先生」——役割を自称する意味と危うさ 63
子どもを守り導くべき者の自称　目下からの「あなた」が不快に感じられる理由
9 「社会に出る」とは何をすることか 67
誰でもすでに社会に出ている　敢えて「社会人」と呼ぶのなら
10 「またひとつおねえさんになった」——大人への日々の一風景 72
新しい経験への憧れとためらい　馴染んだ世界からはみ出す冒険
11 「豆腐」という漢字がしっくりくるとき——言葉をめぐる個人の生活の歴史 76
「豆腐」より「豆富」？　ある日の朝に買った、普通のおいしい豆腐　豆腐屋のある街

第二章　規格化とお約束に抗して　83

1「だから」ではなく「それゆえ」が適切？――「作法」に頼ることの弊害　84
無理に使われる〝論文っぽい〟表現　しっくりくる言葉を吟味するということ

2「まん延」という表記がなぜ蔓延するのか――常用漢字表をめぐる問題　90
間の抜けた印象を受ける交ぜ書き・平仮名書き
漢字使用の規格化――当用漢字表と常用漢字表
交ぜ書き・平仮名書き・当て字によって失われるもの　全廃すべきか、放置すべきか
新たな略字の検討の可能性　表記のあり方を国任せにしない
日本語を痩せ細らせないために

3「駆ける」と「走る」はどちらかでよい？――日本語の「やさしさ」と「豊かさ」の緊張関係　104
日本語の複雑化がもたらしうる悪影響　〈やさしい日本語〉と、多様性への想像力
日本語ネイティブにとっての意義　すべてのケースで受容されるべきか
言葉には、考えそのものをかたちづくる役割がある
表現力と思考力の低下を招かないために
簡素化した言葉は「ニュースピーク」に近づく？

「駆ける」と「走る」を「かしる」に統一するとどうなるか
〈やさしい日本語〉は、その重要な意義ゆえに規範化されうる
「やさしさ」と「豊かさ」の緊張を維持する必要性

4 **対話は流暢でなければならないか** 123
「甘え」と「お約束」の会話の良い面と悪い面　十把一絡げに語る言葉の危うさ
「当意即妙さ」「流暢さ」は賞賛されるべきことなのか
話し手と聞き手がともに言葉を待つことの意味　貴重な対話の場を、もっと身近なものに

5 **「批判」なき社会で起こる「炎上」** 132
「批判」を忌避する風潮　同調の空気のなかで攻撃や非難と化す「批判」
「炎上」という言葉ですべてを塗り潰す前に　批判を実践するために必要なこと

6 **「なぜそれをしたのか」という質問に答える責任** 141
意図的行為とは何か　「なぜそれをしたのか」という問いに答えられないとき
意図的行為と責任の結びつき　自由で民主的な社会の基盤として
理由をめぐる応答の場を確保する責任

7 **「すみません」ではすまない――認識の表明と約束としての謝罪** 149
謝罪するとは何をすることなのか　謝罪になっていない「お約束」の言葉たち

謝罪とは、当該の出来事に対する自分の認識を明らかにすること
謝罪とは、認識の表明を踏まえて、自分がこれから何をするか約束すること
「謝罪はいつ完了するのか」という難しい問題　謝罪もまた、対話の実践の一環である

第三章　新しい言葉の奔流のなかで　159

1「○○感」という言葉がぼやかすもの　160
「痛税感を和らげる」「スピード感をもって進めていく」
明言を避け、責任を回避する姿勢

2「抜け感」「温度感」「規模感」——「○○感」の独特の面白さと危うさ　163
「抜け感」と「いき」の共通点　問題を誤魔化すニュアンスも

3「メリット」にあって「利点」にないもの——生活に浸透するカタカナ語　169
氾濫するカタカナ語　普及しなかった言い換え案
カタカナ語の「しがらみ」のなさ　駆使と濫用のあいだ

4カタカナ語は（どこまで）避けるべきか　176
日本における外来語排斥の過去　見境のない排斥は何をもたらすのか

「ケア」という言葉の多面性、固有性
カタカナ語の「根の深さ」と「しぶとさ」から得るべき教訓

5 「ロックダウン」「クラスター」——新語の導入がもたらす副作用 183
新型コロナ禍におけるカタカナ語の濫用
問題のある訳語①——「濃厚接触」、「都市封鎖」
敢えてカタカナ語を導入することの利点
問題のある訳語②——「社会的距離」　新語の導入に伴う作用と副作用

6 「コロナのせいで」「コロナが憎い」——呼び名が生む理不尽 192
呼び名によって傷つく人々の存在　呼び名に心を砕く必要性

7 「水俣病」「インド株」——病気や病原体の名となり傷つく土地と人 196
公害病に土地の名前をつける意味は？　呼び名がもたらす風評被害、差別、偏見

8 「チェアリング」と「イス呑み」——ものの新しい呼び名が立ち上がらせるもの 201
命名は重要な発明でありうる　新しい言葉が何をもたらすかを見極める

第四章　変わる意味、崩れる言葉　207
1「母」にまつわる言葉の用法――性差や性認識にかかわる言葉をめぐって①　208
「お母さん」が示す社会的性役割の不均衡　「母」のつく熟語をめぐる問題
母語を学ぶことは、伝統へと入りゆくことを含む
伝統は変化し、言葉も変化する　「機械的に置き換える」のとは別の仕方で
2「ご主人」「女々しい」「彼ら」――性差や性認識にかかわる言葉をめぐって②　218
「○○を男にする」という言葉の背景　夫婦の呼び名をめぐる問題
「女々しい」や「英雄」は使うべきではない？　「彼ら」は性差別的か
性無差別的・存在無差別的な言葉としての「彼ら」
3「新しい生活様式」――専門家の言葉が孕む問題　229
「新しい生活様式」という言葉と内容の食い違い
インパクトの強いキャッチコピーとして
「新しい生活様式」の規範化が社会に落とす影
人の生き方を直接指図してはいないか
専門家と市民をつなぐ言葉　言葉を歪曲することの弊害

4 「自粛を解禁」「要請に従う」――言葉の歪曲が損なうもの 239
既存の言葉の意味が急に変わる事態　「自粛を解禁」という誤用が意味すること
公共的な空間で常態化する、言葉の意味の「変更」
『鏡の国のアリス』の世界にしないために

5 「発言を撤回する」ことはできるか 250
行為を取り消すことなどできない　発言はひとつの行為である
自らの言葉に責任をもつということ

6 型崩れした見出しが示唆する現代的課題 255
「藤井二冠を殺害予告疑いで追送検」?　いまの私たちに特に必要な言葉の技術

7 ニュースの見出しから言葉を実習する 260
簡要な文章の教師(および反面教師)としての見出し
見出しは物事の一側面に焦点を当てる　どこまで言葉を削れるか
「言葉の実習」としての見出しの検討　母語を学び直すことの重要さ

8 「なでる」と「さする」はどう違う? 269
母語の言葉にあらためて注意を傾ける　国語辞典の語釈の再検討という仕事

「こする」「する」「さする」「なでる」の違いを炙り出す
「炒める」とは何をすることなのか
言葉を言葉で表現することでもたらされうるもの
語釈が「完成」に至らないことの重要性
「道徳的な贈り物」としての、言葉への迷い・疑い

あとがき　283
初出一覧　287

第一章

言葉とともにある生活

1 「丸い」、「四角い」。では「三角い」は？

言葉を学ぶことは、社会のあり方や生活のかたちを学ぶこと

娘が四歳になってしばらくした頃、あるおもちゃを指し、「これ、さんかくいね」と言ってきた。一瞬戸惑ったが、すぐに意味が分かった。彼女は、「三角いね」と言ったのだ。これは三角形っぽいと。

彼女はすでに「丸い」や「四角い」という言葉を使うことができていたから、この言葉の規則的な応用を自力で生み出したわけだ。実に理に適っている。しかし、間違っている。

間違いの理由を理路整然と子どもに説明できるわけではない。実際、なぜ「丸い」や「四角い」はよくて、「三角い」は駄目なのだろう。なぜ、「五角い」とか「六角い」などとは言わないのだろう。

身の回りには丸形や四角形のものが多く、三角形や五角形のものより人の生活と密接に

関係している——私たちが思いつくのは、たとえばこの種の説明だろう。つまり、生活のなかに頻繁に登場する形状については、「い」を付けることで形容詞になりやすいと言えるかもしれない。そして、「丸」や「四角」がそうした馴染み深い言葉だということは、これらがたとえば「性格が丸い」、「丸い味」、「四角四面な人」などのように比喩として使われやすい、という点からも説明できるだろう。逆に言えば、「三角」や「五角」は比喩表現になることが少ないか、あるいは全くない、ということである。

　同様のことは、色彩語に関しても広く指摘されている。たとえば、「白い」や「黒い」、「赤い」、「青い」とは言われるが、「緑い」とか「紫い」などとは言われない。また、「潔白」とか「腹黒い」、「真っ赤な嘘」、「青二才」等々の表現は無数にあるが、「緑」や「紫」という語を使った比喩や慣用表現はほとんど思いつかない。これは、日本人にとって古来「白」、「黒」、「赤」、「青」が最も馴染み深い基本的な色彩であった——つまり、これらの語を中心とする色彩語の体系によって、身の回りのものの色を切り分けて表現してきた——ということを示すものと言えそうだ。

　いずれにしても、子どもたちは「身の回り」のこと、すなわち、私たちが生きるこの世界や文化についてのさまざまな事柄を学びつつ、母語を習得していく。言葉を学ぶとは、社会のあり方や生活のかたちを学ぶことでもあるのだ。

誤用に宿る自由ときらめき

日本語であれ他の言語であれ、自然言語には、規則的とは思えない慣習的なものが溢れている。それは、自然的な事実、歴史、音韻やリズムなど、実に複雑な要素の賜物だ。なぜ「三角い」や「緑い」と言ってはいけないのか、手紙を書くときはなぜ「〇〇ちゃんえ」ではなく「〇〇ちゃんへ」と書かないといけないのか、等々、子どもたちは、意味が分からないルールに出くわし続ける。けれども、その理不尽を呑み込んでいかなければ、言葉とともにある私たちの生活に加わることはできない。「四角い」から「三角い」を導出できる高度な知的能力がなければ言語習得はそもそも困難だが、その能力を野放図《のほうず》に発揮することも許されないのだ。

先に序章でも取り上げた哲学者のウィトゲンシュタインは、「言葉を話すというのは、活動の一部、または、生活形式《レーベンスフォルム》の一部である」[1]と強調している。私たちの日々の活動、あるいは生活のかたち（生活形式）は、複雑に絡み合う種々の行為から成り立っている。そして、言葉を話すというのも、それらの行為の一種だということである。

重要なのは、言葉を話すという行為のルールはしばしば非常に見通しにくい、ということだ。語の結合の仕方ひとつとっても、〈形状の後ろに「い」を付ければすべて形容詞になる〉といった自動的なものでは全くない。「四角」＋「い」で「四角い」になる、というルールが分かれば、そのまま「三角」や「五角」などの語にも応用できる、ということにはならないのである。

娘はいまも、ある意味で筋の通った誤用を繰り返している。語尾に「です」を付けると丁寧な言い方になることを学ぶと、「やだです」と言うようになった。「パンツ一丁」という言葉を覚えて少し経つと、おしり丸出しの格好で「おしり一丁！」と言い出し、げらげら笑っている。

そのようなとき、私は彼女の言葉を正さず、むしろできるかぎり保存したいと思ってしまう。身の回りの他者たちへの同調が深刻な課題となる手前の、束の間の自由ときらめきを、そこに感じるからかもしれない。

1　ウィトゲンシュタイン『哲学探究』、訳・鬼界彰夫、講談社、二〇二〇年（原典初刊：一九五三年）、第二三節

2　きれいごとを突き放す若者言葉「ガチャ」

諧謔《かいぎゃく》と皮肉と、深い諦念

私の日々の主要な仕事は、大学で授業を行うことだ。授業の場では、毎回最後に学生たちにコメント（授業の内容に関する質問や意見など）を書いてもらうことにしている。いまから四、五年前、運と道徳の関係を主題とする講義を行っていたとき、学生のコメントのなかに、何度も「親ガチャ」という言葉が出てきた。

「ガチャ」とは、元々はあの「ガチャガチャ」や「ガチャポン」、つまり、硬貨を入れてレバーを回すことでカプセル入りのおもちゃが出てくる装置に由来する言葉だ。（ちなみに、この種の自動販売機、ないしはそこで売られているおもちゃは、「カプセルトイ」と総称されるらしい。）だがいまや、「ガチャ」はスマホなどのソーシャルゲームに組み込まれたクジ引きの類いを指すのが普通だ。たとえば、一定のお金を払ってクジを引く――「ガチャを回す」――ことによって、運よくレアなアイテムを手に入れたり、逆にハズレを引いてお金が無駄になったりする、という具合である。

そして、そこからさらに転じて、「親ガチャ」という言葉は、子がどんな両親の下に生まれるかという運を表現しているようだ。たとえば、「親ガチャに外れた」という表現は、自分が貧乏な家庭に生まれ育ったことや、親が虐待をする人間であったことなどを意味するというわけだ。


確かに、私たちは自分の生みの親を選べなかった。しかしそれを言うなら、いまの自分をかたちづくる物事の大半は「ガチャ」を引いた結果ということにならないだろうか。実際、「顔ガチャ」という表現もネット上などではよく使われている。つまり、「イケメン」に生まれるか「ブサイク」に生まれるか、という運のことだ。ほかにも、「体ガチャ」、「地元ガチャ」、「国ガチャ」、「時代ガチャ」……何でも言えそうだ。

だから、すべては運だなどと考えてはいけない。それは甘えだ。たとえ裕福な家庭に生まれなくても、必死に頑張って成功した者も多い。自分の置かれた場所や条件の下で努力すべきだ。すべては自己責任なんだ。

——この種のお説教を小さい頃から浴び続けてきた学生たちは、「運命」や「定め」といった重苦しい言葉ではなく、「ガチャ」という、これ以上ないほど軽い言葉によって、きれいごとを突き放してみせる。

彼らの手にはいつもスマホがあって、そのなかで回るガチャが、自分の人生の寓意になっている。これは、一歩引いたところから自分や社会を捉える諧謔《かいぎゃく》であり、皮肉であり、同時に、深い諦念でもあるように思われる。

すべては運か、それとも努力か

すべては個々人の意志や努力次第であると嘯《うそぶ》き、「めぐり合わせ」や「運」の存在を軽視ないし否定する向きに対して、倫理学者のバーナード・ウィリアムズ（一九二九―二〇〇三）は大きな疑問符を投げかける者のひとりだ。彼は、運の要素を分かちがたく含む私たちの人生の歩みを次のような言葉で表現している。

いかなる意志の産物も、意志の産物でないものによって取り囲まれ、支えられ、部分的にはそれらによって構成されており、それらは一個の網の目を形成している。人間の行為者としての履歴は、そうした網の目にほかならない。[1]

自分の意志が及ばないもの、自分のコントロールを超え出たものを、人は「運」と呼んできた。あるいは、「運命」、さらには「ガチャ」などと呼んできた。私たちの日々の行為の大半は、運の要素とそうでないものの網の目として捉えることができる。そして、そのような「網の目」こそが、個々の人生の実質やアイデンティティをかたちづくっている。たとえば、自分があのときこの進路を選び、この職業に就き、この人と結婚したこと等々は、それぞれ自分の意志によるものだろうか。それとも、めぐり合わせによるものだろうか。そこに明確な線引きを行うことはできないだろう。たとえば、同じく倫理学者の竹内《たけうち》整一《せいいち》さんの著書では次のように指摘されている。

> われわれはしばしば、「今度結婚することになりました」とか「就職することになりました」という言い方をするが、そうした表現には、いかに当人「みずから」の意志や努力で決断・実行したことであっても、それはある「おのずから」の働きでそう〝成ったのだ〟と受けとめるような受けとめ方があることを示しているだろう。[2]

もちろん、行為の前に慎重に熟慮し、入念に計画を練り、ありうる事態に備えようと準備を試みることはとても大事だ。理不尽な不平等に対処するため、社会制度から運の要素を低減させようと試みることにも大きな意義がある。

しかし、そうした努力には現実問題としてどうしても限界があり、運の要素を完全に排除することはできない。また、そもそも、運の要素は完全に排除すべきものだとも言えない。人であれ、他の事物であれ、思いがけないものや計り知れないものとの出会いは、私たちに悲しみや絶望を与えるだけではなく、ときに喜びや希望を与えもするのである。

「ガチャ」の比喩が過剰な説得力をもつ理由

いずれにせよ、はっきりと言えるのは、「すべては運次第だ」という主張も、それから、「すべては意志や努力次第だ」という主張も、どちらも間違っているということだ。

漫画『こちら葛飾区亀有公園前派出所』の主人公・両さんは、あるとき、

「入試　就職　結婚　みんなギャンブルみたいなもんだろ　人生すべて博打だぞ！」[3]

と言い放ち、後輩の麗子と中川からすぐに、

「そう思って無計画に生きてるのは両ちゃんだけよ」

「みんなはギャンブルと思ってませんよ」

とつれなくあしらわれている。

両さんの主張は明らかに行き過ぎた極論だが、それを言うなら、麗子や中川の主張も同様だ。むしろ、彼らの主張の方がたちが悪い。なぜなら、人生に多かれ少なかれ賭けの側面が含まれること自体は、大半の人が実際に認めている事実だからだ。それゆえ、「みんなはギャンブルと思っていない」という台詞《せりふ》は端的に嘘を言っていることになる。あるいは、自分自身を騙す自己欺瞞《ぎまん》に陥っていることになる。

そうした不誠実なきれいごとが、学校やその他の社会の表舞台で「道徳的に正しい主張」としてまかり通るかぎり、その裏側で、「親ガチャ」や「顔ガチャ」といった表現は人生の比喩として流通を拡大し続けるだろう。いや、むしろ、人生の真実を暴く表現としてもてはやされ、過剰な説得力を獲得し続けるだろう。

運などそもそも存在しないかのように、「すべては意志や努力次第だ」という道徳的建前を繰り返すのではなく、運が不断に織り込まれたものとしての人生のありようを、多様な角度からあるがままに捉え、語ろうとすること。――「ガチャ」の比喩が行き渡った場所に届くのは、そうした言葉だと思われる。

1 Williams, B., "Moral Luck," in his *Moral Luck*, Cambridge U. P., 1981, p. 29.〔ウィリアムズ「道徳的な運」、訳・鶴田尚美、『道徳的な運』、勁草書房、二〇一九年、四九頁〕

2 竹内整一『「おのずから」と「みずから」――日本思想の基層』、春秋社、二〇〇四年、ⅲ頁

3 秋本治『こちら葛飾区亀有公園前派出所』第六〇巻、集英社、一九八九年、八五―八六頁

なお、このひとコマをめぐっては、拙著『不道徳的倫理学講義――人生にとって運とは何か』(ちくま新書、二〇一九年)の冒頭でも取り上げ、より詳しく論じている。

3　「お手洗い」「成金」「土足」――生ける文化遺産としての言葉

比喩は特定の生活形式や文化のなかで生きる

とある地方の道の駅でトイレを探していた際のことだ。「お手洗い場」という看板を見つけ、早速行ってみると、そこには洗面台しかなかった。つまり、文字通り、手を洗う場所だったわけだ。

私たちが生活する世界は比喩的な表現に満ちている。「お手洗い」は普通、手を洗うことが主目的の場所ではない。（さらに言えば、公衆トイレの「洗面台」で実際に顔を洗っている人もまず見かけない。）また、「はらわたが煮えくりかえっている」ときも本当にはらわたが煮えているわけではないし、「断腸の思いでいる」ときも、本当に腸が断ち切れているわけではない。

そして、比喩的な表現は多くの場合、個別の習慣や生活形式（生活のかたち）、文化といったものと深く結びついている。たとえば、「成金」、「高飛車」、「駄目」、「一目置く」といった表現は、将棋や囲碁というゲームが生活に根差した文化以外では生まれえないものだ。また、「ガチャ」が比喩として成り立つのも、街中にガチャガチャ（ガチャポン）が設置されているという状況や、多くの人がスマホのゲームで「ガチャ」を回しているという状況があってのことだし、「お手洗い」も、トイレの後に手を洗う習慣が存在しなければ、トイレやそこで用を足すことを指す言葉にはならなかっただろう。

昨今の新型コロナ禍において、この点を私があらためて実感したのは、「土足」に関してである。

世界がパンデミックの様相を呈し始めた頃、欧米と比べて日本の感染者数が比較的低く抑えられている要因がさまざまに推測されていた。そのひとつとしてよく挙がっていたのは、〈日本をはじめとする特定の国や地域では、家に入るときに靴を脱ぐ文化がある〉というものだ。そのような文化の方が、外で履いていた靴でそのまま家中を歩き回ったりベッドに寝転がったりする文化よりも、部屋のなかが清潔に保たれ、ウイルスの飛散や付着の危険性も低下するのではないか、というわけだ。

この憶測が——本当に妥当なものかどうかはともかくとして——盛んに喧伝されたこと

は、私自身にとっては、自分が〈住居内は土足禁止〉という文化のうちで生活しているという、普段は気にも留めない事実を意識する機会になった。考えてみれば当たり前のことだが、たとえば「土足で踏み込む」とか「土足で入ってくる」といった表現は、家などのプライベートスペースに土足のまま入ることに対して強い拒否反応を示す文化内でのみ、独特の意味をもちうる。すなわち、他人のプライバシーや繊細な事情などを考慮せず、そこに無遠慮に立ち入って口を出したり詮索したりする、という意味である。

「一日」はなぜ「ついたち」なのか

日本語であれ何であれ、自然言語の言葉を話すというのは生活形式《レーベンスフォルム》（生活のかたち）の一部である、という点は先にも確認した（二四頁）。「土足で踏み込む」という言葉ひとつとっても、そこには、日本語圏の人々が長年どのように生活し、どのような文化をかたちづくってきたか、ということが背景にある。自然言語の言葉を深く知ることは、多くの場合、当該の言語が根を張ってきた文化のことを深く知ることでもあるのだ。その点で、個々の自然言語は、それぞれの歴史に培《つちか》われた（おそらく最も巨大で複雑な）文化遺産という側面をもっている。しかも、それらは今現在も使われ、絶えず変容を続けているという意味で、生ける文化遺産だと言えるのである。

文化の形成には、人間共通の能力や特性といったもののほかに、個々の地域の地理的な条件や偶発的な出来事等々、実に多様な要素が与《あずか》っている。たとえば、日本語におけるものの個数の呼び方と日数の数え方とを比べてみると、それぞれ、

「ひとつ」、「ふたつ」「みっつ」、「よっつ」、「いつつ」、「むっつ」、「ななつ」、「やっつ」、「ここのつ」、「とう」

「ついたち」、「ふつか」、「みっか」、「よっか」、「いつか」、「むいか」、「なのか」、「ようか」、「ここのか」、「とうか」

という風に、共通している箇所とそうでない箇所が見出《みいだ》せる。なぜ「一日」は「ひとか」ではなく「ついたち」なのか、なぜ「六日」は「むっか」ではなく「むいか」なのか等々のことには、それぞれ、人間が発音しやすい音の特徴や、日本語の音便（連音変化）の経緯、語源に遡る言葉の長い歴史といった、多様で複雑な背景が存在する。たとえば、「ついたち」は元々は月のはじめ頃を指す「月立《つきた》ち」であり、それが連音変化したかたちだという（角川古語大辞典）。

ものの数え方のこうした不規則性は、日本語の言葉を子どもに（あるいは外国人などに）教える際に皆が手こずることのひとつだが、それは数え方の単位も同様だ。なぜ、リスやハムスターは「一匹、二匹」と数えるのに、ウサギは「一羽、二羽」と数えることがあるのか。烏賊《いか》はなぜ「一杯」なのか。豆腐はなぜ「一丁」なのか。なぜ、「パンツ一枚！」ではなく「パンツ一丁！」なのか、等々。――こうした疑問にはすべて一定の説明（あるいは、諸説）を与えることができるが、そのためには日本語圏の文化の歴史に、場合によっては相当深く分け入っていかなければならない。

言葉は、文化のなかに根を張り、生活のなかで用いられることで、はじめて意味をもつ。言葉について考えることは、それが息づく生活について考えることでもある。

4　深淵を望む言葉——哲学が始まることの必然と不思議

「昔がなくなっちゃう！」

娘が五歳になった頃、唐突に、「お父さんは誰のお腹から生まれたの？」と尋ねられた。

「お父さんのお母さん。福岡のおばあちゃんだね」

「じゃあ、おばあちゃんは誰から？」

「おばあちゃんのお母さん。ひいおばあちゃん」

「じゃあ、ひいおばあちゃんは誰から？」

このやりとりが少し続いた後、娘は驚いた様子で、「それじゃ、昔がなくなっちゃう！」と叫んだ。

娘の言う〈昔がなくなる〉とは、多分こういうことだ。

たとえば、居間でテレビの時代劇を観ていて捕り物や殺陣《たて》のシーンなどになると、娘は怖がって部屋の隅に隠れたり、テレビを消してと要求したりする。そのようなとき、私や連れ合いは、「これはね、昔のことだから」と言ってなだめる。昔話の絵本を読んでいるときも、ちょんまげ姿を可笑《おか》しがる娘に、「昔の人はこんな格好をしてたんだよ」と言う。そうした説明を聞いているうちに、娘は「昔」という言葉で、それ自体として完結した別の世界のようなものをイメージするようになったのだろう。言うなれば双六《すごろく》の振り出しのような、いま現在よりも前の「はじまりの世界」といったイメージだ。

それが、誰にでも親がいて、その親にも親がいて……ということになると、いわば、昔、い、い、い、の底が抜けてしまう。どの昔にも昔があるなら、それ以上遡れない「振り出し」ないしは「はじまりの世界」としての「昔」がなくなってしまう——娘の驚きはそういうものだったと思う。

世界のはじまりは？ 終わりは？ 果ては？

親の親、昔の昔を辿《たど》った果てには何があるのか。この問いはまさに、哲学が始まる地点のひとつだ。いまの物理学では、ビッグバンが宇宙のはじまりであると説明される。それなら、その前はどうだったのだろう。「その前」などないのだろうか。つまり、ビッグバンの前の出来事など存在しないのだろうか。もしそうなら、先行する出来事が存在しない出来事なるものを、私たちはどうやって理解したらよいのだろう。あるいは、世界のはじまりなど存在せず、過去は無限に遡るのだろうか。しかし、過去が永遠に続く、とはどういうことなのだろうか。

同様のことは未来にも言える。世界に終わりはあるのだろうか。あるとすれば、世界が終わった後に、世界はどうなっているのだろうか。世界が存在しないとはどういうことだろうか。あるいは、世界に終わりは来ないのだろうか。だとすれば、未来が永遠に続くということを、私たちはどう理解すればよいのだろうか。

そして、「果て」というものが問題になるのは時間だけではない。空間に果てはあるのだろうか。宇宙の外側はどうなっているのだろうか。その外側の外側はどうなっているのだろうか。それとも、「宇宙の外側」などないのだろうか。だとすれば、文字通り果てしない空間というものを、私たちはどう理解すればよいのだろうか。

わが子もやがて、親の親、昔の昔を辿るだけではなく、子の子、未来の未来を辿ることになるだろう。家の外の外、宇宙の果ての果てについて、思いをめぐらすときが来るだろう。そして、どこか透明な澄んだ驚きや憧憬とともに、深い谷底を覗き込んだときのような恐れを抱くだろう。古来の哲学者が、まさにそうであったように。

哲学的な問いが立ち上がる瞬間

いま、六歳になろうとしている娘は、先日、歯磨きしている私に近寄るなり、「なんで、頭のなかで「こう言おう」と思わなくても人はしゃべれるの？」と質問してきた。「好きな食べ物は？と聞かれたら、「唐揚げです」と思わなくても「唐揚げです」と言えるのはなんで？」

いや……それは実に、自分がずっと不思議に思っていることだよ。本や論文のなかで何遍もそのことについて書いたんだ。——しばし呆気にとられ、どうしてこんな問いがこの小さな体のなかから生まれてくるのかと不思議でならなかった。

もちろん、自分の娘が特別なわけではない。子育ての先輩たちからは、ある日急に自分の子どもから、「神様が全部つくったのなら、神様は誰がつくったの？」とか、「どうして僕は生まれてきたの？」といった問いをぶつけられた、という経験談をいろいろと聞く。心揺るがせ、すくみ上がらせるような問いが頭をよぎる経験は誰にでも訪れる。ただ、普通はそのような深淵を望む問いに、すぐに蓋をしてしまうだけのことだ。

子育ての過程で、幸運にも、娘からの問いかけの言葉をゆっくり受けとめ、咀嚼《そしゃく》する時間をもつことができた。そして、哲学的な問いが立ち上がるその瞬間に、何度も立ち会うことができた。そのたびにいつも実感するのは、人間が哲学し始めることそれ自体の必然と不思議だ。人間というのは奇妙で面白い存在だと、あらためて思う。

5　オノマトペは幼稚な表現か

「がぶがぶ」は飲むこと？　噛《か》むこと？

ひどく暑い夏の日曜日。ずっと家に籠もっているのもなんだから、娘と散歩に出た。アスファルトからの陽《ひ》の照り返しもきつく、道中で娘はたくさん汗をかいた。家に戻り、彼女に冷たい麦茶の入ったコップを渡して、「がぶがぶいっちゃって」と促すと、彼女は、「噛むの？」と尋ねた。

確かに言われてみれば、「がぶがぶ」というのは噛む様子も表す言葉だ。むしろ、飲み物を勢いよく飲む様子をなぜ「がぶがぶ」と表現するのか、また、そのことをなぜ自分はこれまで不自然に感じなかったのか、急に疑問に思えてきた。少なくとも娘は、「がぶがぶ」と言われて、それを麦茶を飲む行為と結びつけることができなかったのだ。

「さらさら」、「かさかさ」、「わんわん」、「ごくごく」といった擬音語や、「いらいら」、

「ふらふら」、「まったり」、「にやり」といった擬態語の総称を、一般にオノマトペと言うが、その種類は実にさまざまだ。

たとえば「どんぶらこ」のように、大きな桃が川を流れる様子のみを事実上表すオノマトペもあるし、「はるばる」や「ほのぼの」などのように、オノマトペに分類すべきかどうか微妙なものもある。また、おおよそ一九七〇年代から日本の街中で見られるようになった「ガチャガチャ」（あるいは「ガチャポン」等々）は、まさにこの装置を操作するときの音や効果を表している。

さらに、時代とともにこれまでとは異なる意味をもち始めるものもある。たとえば「さくさく」は従来、「菓子・果物・野菜などの噛みごこちや切れ方が小気味よいさま」（広辞苑 第七版）を主に指す言葉だった。「さくさくした歯ごたえ」、「さくさくのパイ」といった用法である。それがいつの頃からか、「さくさく片づける」とか「さくさく進む」という風に、「物事が気持よく進行するさま」（同書）という意味をもつようにもなった。

他方で、「レンジでチンする」という表現は、もはや「チン」という音を発する電子レンジが希少となった現在でも、時代を超えて生き続けている。「レンチン」という短縮形の表現も広く行き渡っているほどだ。

ともあれ、私たちは日々、無数のオノマトペに取り囲まれ、それらを縦横に駆使しながら生活している。日中は「きびきび」動きなさいとか、「しゃきっ」としなさいなどと怒られ、「くよくよ」したり、「もやもや」したり、「うじうじ」したりするけれども、夜、帰宅して、好きな番組で「げらげら」笑い、「もふもふ」した飼い猫に癒やされ、やがて「すやすや」眠る、といった具合である。

「言語以前の感覚」と結びつく言葉

日本語はこのようにオノマトペが多用される言語として知られているが、同様に（あるいは日本語以上に）オノマトペが豊富な言語は世界各国に存在する。英語やドイツ語などのヨーロッパ言語の一部はオノマトペが比較的少ない、ということもあってか、オノマトペは未開・未発達の地域の言語に多いという説も根強い。しかし、それこそ日本語（および、朝鮮・韓国語などの諸語）のオノマトペの多さを考えれば、これは多分にバイアスのかかった見方だと言えるだろう。

むしろ、オノマトペを研究する言語学者たちが指摘しているように、それぞれの言語ごとのオノマトペの構造の違いに目を向ける方が適当かもしれない。たとえば、英語のようにオノマトペが主に動詞であるような言語（"The cat meowed"など）よりも、日本語のようにオノマトペが主に副詞であるような言語（「猫がニャーと鳴いた」など）の方がオノマトペに富む、といった可能性が考えられる。[1]

　この点に鑑みると、オノマトペは言葉未満の幼稚な代物であるという、しばしば見受けられる捉え方にも疑問符がつく。雨が降る様子だけでも「しとしと」、「ぽつぽつ」、「ぱらぱら」、「ざあざあ」といった繊細な使い分けがときに要求されるということはむしろ、オノマトペが幼稚どころか成熟した言語表現であることを示しているように思われる。

　とはいえ、他方で、育児の過程でオノマトペが実際に重宝され、多用されるということも確かである。たとえば、「ブーブーが来たね」、「ワンワンだよ」、「これをチョキチョキやって」、「これをピカピカにして」といった表現は、小さな子どもとのコミュニケーションにおいて不可欠なものだ。一〜二歳児向けの絵本『もこ　もこもこ』[2]や『じゃあじゃあびりびり』[3]は、オノマトペだけで成り立っているが、絵との相乗効果もあって、子どもの「食いつき」が抜群によい名作だ。

　また、子どもがまだ比喩を使いこなせないとき、たとえば「痛い、痛い！」と叫んでいる子の体に具体的に何が起こっているのかを探るために、私たちはしばしばオノマトペに頼って聞き出そうとする。ズキズキするのか、キリキリするのか、ジンジンくるのか、それとも、グーーーッときているのか、等々。

そしてこれは、子どもだけの話ではない。たとえば昨年私は、生まれてはじめての尿路結石の痛みに襲われた。はじめてだから、何が何やら分からない。とにかく猛烈に苦しく、痛い。気の利いた比喩など一切思いつかない。医師に対して、「ここが、ズーンときて、ガンガンして……」と伝えるほかなかった。実際、患者の発するオノマトペは、医療現場において診断の一助として重視される要素のひとつだという。

オノマトペは、いわば言語以前の生理的な感覚と密接に結びつきながら、同時に、固有の文化的背景をもった紛れもない言葉の一種として、子どもから大人まで、全世代の生活に広く深く根を張っている。そしてときに、コミュニケーションのある種の切り札、生命線として、他に代えがたい役割を果たすこともあるのだ。

1 『オノマトペの謎――ピカチュウからモフモフまで』、編・窪薗晴夫、岩波書店、二〇一七年、二八頁、六九頁
2 作・谷川俊太郎　絵・元永定正『もこ　もこもこ』、文研出版、一九七七年
3 作絵・まついのりこ『じゃあじゃあびりびり』、偕成社、一九八三年

6　「はやす」「料る」「ばさける」——見慣れぬ言葉が開く新しい見方

幸田文のエッセイを繙《ひもと》く

見慣れない言葉やその組み合わせなどであっても、生活を積み重ねて地に足のついた日々を送る人が、そのなかで「しっくりくる言葉」として自然に自在に用いている場合には、受け取る側にもそれが豊かな表情をもって立ち現れてくることがある。

このことをはっきりと示すのが、作家の幸田《こうだ》文《あや》（一九〇四—九〇）の文章だ。以下では、食に関する彼女のエッセイをまとめた『幸田文 台所帖』[1]から、いまは姿を消しつつある言葉、特定の地方にしか見られない言葉などをいくつか拾ってみたい。

「きゅうりをはやす」……幸田は自身の台所仕事を描写する際、「はやす」という言葉をしばしば用いている。「はやす」というのはこの場合、「切る」という意味であり、「切る」

と言うのを避けて別の言葉を使う例——つまり、忌詞《いみことば》の例——だ。遅くとも一三世紀頃からこの種の用例が認められるが（日本国語大辞典 第二版）、現在ではまず聞かれない表現だろう。

しかし、幸田の文章のなかに「きゅうりをはやす」といった言葉が出てくると、「はやす」という語感も手伝って、そのニュアンスが自ずと伝わってくる。手早い所作で、心地よい音を立てながら、さっさっときゅうりに包丁が入っていき、切り口の立った瑞々しいきゅうりがまな板に並ぶ——そうした姿がまざまざと見えてくるのだ。

「料《りょう》る」……幸田は、大根や烏賊《いか》などを「料理する」のではなく、「料る」と表現する。「料る」は「料理」の動詞化であり、「鮎を料る」とか「瓜茄子を料る」といったかたちで、江戸時代からおおよそ明治時代にかけて盛んに用例が見られるが（日本国語大辞典 第二版、角川古語大辞典）、いまではほとんど使われない古風な言葉だ。

ただ、この言葉からは、「料理する」こととは異なる緊張感と、台所を掌握して食材をうまく捌《さば》いてみせるという、ある種の自負のようなものを感じ取ることができる。たとえば次の文章は、幸田が食材を「料る」姿を端的に表すものだ。

ちょっと待ってね、というともう、キュウリとナスとミョウガを洗って、ごくこまかいサイの目に包丁の音をきざみ、ガラスバチへうつして、ショウユをふりかけ、さっとかきまわして、形を整えると、さあという涼しさである。（『幸田文 台所帖』一一三頁）

カタカナの使い方も相俟って、文章自体から涼味を得られるリズミカルで見事な一節だが、これは、台所仕事が体や頭に染み込んでいなければ出てこない文章だとも言えるだろう。

「ばさけた味」……ばさばさに乱れることを表す言葉として、「ばさける」という言葉が江戸時代以降使われてきたが、現在では、いくつかの地方で方言として残っているだけだ。幸田は、秋口の枝豆を手間をかけて「料る」ことを、「老いた豆のばさけた味を厄介する」（同書一五一頁）と表現している。旬を過ぎた枝豆にはもう瑞々しさはなく、粉っぽい舌ざわりになっている。それを、じっくりと時間をかけて出汁《だし》を煮含め、丁寧に塩味を染み込ませていくことで旨くする、そうして、夏をおいしく終わらせる。そのような意気と工夫が語られているのだが、面白いのは、この一節を読んで私ははじめて「ばさけた」という言葉に接したにもかかわらず、名残の枝豆の「ばさけた」その感じをありありと感じられたことだ。

幸田が綴る言葉は、しばしばオノマトペ的な、感覚に直接訴えるような説得力をもっている。たとえば、親や夫などのうるささがたから離れてひとり囲む食卓について、「われながらそぼんとしたものである」（同書一六頁）と彼女は表現するのだが、この「そぼん」という響きが醸し出す雰囲気の、なんと情景に合ったことだろう。寂しさ、わびしさ、静かさ、あるいは平安といったものが、味わい深く伝わってくる。

番茶は「こっくり」とおいしい

「土筆《つくし》が上がってきた」……幸田は、しばらく奈良で暮らした経験がある。彼女は著名な料理人の辻嘉《つじか》一《いち》との対談のなかで、奈良では「土筆が出てきた」とは言わず、「土筆が上がってきた」と言う、と紹介している。

辻は、この「上がってくる」という言葉がもっている趣に感嘆の声をあげる。「上がってきたということは親しさがありますね。親類同様待っていた、なかなかいい言葉ですな」（同書六三頁）。確かに、この言葉からは、「一年ぶりで会えたという感じ」（同頁）などが呼び起こされるだろう。「土筆が出てきた」よりも、あるいは「土筆が顔を出した」といった擬人法などよりも、リアリティや親密さを含んだ見方を、早春の情景にもたらしてくれる表現だ。

「こっくり」……現在では、「こっくりとうなずく」という類いの用法（あるいは、いわゆる「こっくりさん」という名称）以外ではまず見かけない言葉だが、かつては、「色合や味などが、濃かったり深みがあったりするさまを表わす語」（日本国語大辞典 第二版）としても用いられていた。

幸田は、このわた、うに、からすみといったものの味わいを、「こっくりとおいしい」と言い表している。面白いのは、出花（煮端）ではなくその後に煮出した番茶の風味も、彼女は「こっくり」と表現しているということだ。このわた等と出涸《でが》らしの番茶の味が「こっくり」という言葉で結びつくというのは、思いがけないことでありつつも、どこか得心がいくものがある。そして、出涸らしの番茶について、これまでは気づかなかった積極的な見方を――それ独特のおいしさがあるという見方を――促してくれる。

物事の受けとめ方が変わる瞬間

最後に、よく見知った言葉同士が見慣れぬかたちで結びつくことで、物事の別の見方が喚起されうるということについて、もう少し掘り下げておきたいと思う。

以下の一節は、幸田があるお年寄りの女性の家を訪ねた折のエピソードだ。真夏のお昼、玄関で立ちどまると汗が噴き出すなか、居間に通されると、お茶と（水ようかんではなく）煉《ねり》ようかんが出される。

大ぶりに切った煉ようかんが、白磁の平皿に、なんの飾りもなくつけてだされた。この暑さに、この甘味を、あまさず食べられるだろうか、と困った。それを察したように、静かに召上ってごらんなさい、日盛りのようかんはほんとうにおいしいものです、といった。

以来、私は夏の煉ようかんを楽しむ。水ようかんを「木かげにて」といった感じのおいしさとするなら、煉ようかんは「陽にむきて」という感じの、強いおいしさだろ

うか。一方には、夏への意気があるが、これには力がある。夏にたじろがない力である。(『幸田文 台所帖』一三〇—一三一頁)

そうか、煉ようかんは日向の味か、という、思いもかけなかった「納得」を、この文章はもたらしてくれる。「夏」と「煉ようかん」、「日盛り」と「煉ようかん」など、これまで重ねて考えてみたことすらなかったが、右の一節を読んで以来、私も、夏の日盛りに煉ようかんをおいしく食べられるようになった。

ちなみに、同様のことは、池波正太郎《いけなみしょうたろう》の「梅雨の湯豆腐」[2]という短篇を読んだときにも起こった。この時代小説には、江戸に暮らす殺し屋が梅雨冷えの夜、湯豆腐をつくって楽しむ様子が、実に旨そうに描かれている。それまで私は、湯豆腐は冬の食べ物だと決めてかかっていたが、この傑作を読んでから、湯豆腐を真夏以外のどの季節にも食べるようになった。

これらのこと自体は些細な変化に過ぎないかもしれないが、ともあれ、たとえ短い一篇、一節、一語であっても、自分のこれまでの物事の受けとめ方、受容の仕方を変えるような着眼点を与えることは確かにある。そして、言葉のこの作用は、良かれ悪しかれ、私たちの生活において重要な役割を担っているのである。

1　幸田文『幸田文 台所帖』、編・青木玉、平凡社、二〇〇九年
2　池波正太郎『殺しの掟』、講談社文庫、一九八五年、所収

7 「かわいい」に隠れた苦味

無遠慮な言葉の奥にあるもの

もう四年以上前だが、いまだに忘れられない出来事がある。とある日の朝、私は当時一歳半の娘とバス停のベンチに座っていた。その頃私は、バスで通勤し、勤務先の近くの保育園に娘を預けるのが日課だった。

その日、バス停には私たち親子以外に、六〇代ほどの女性の二人組もいた。彼女たちは娘を見つつ、「こんなに小さいのにかわいそうね」、「そうね」と言い合った。

私は唖然とし、そしてひどく腹が立った。あなた方は、いま〇歳や一歳で保育園に入る子がどれほどいると思っているのか(ちなみに、五〇万人を優に超えるようだ)。数々の社会的・個人的な要因により、いまの子育て層の多くは出産後も共働きを続ける以外にないということを、あなた方は理解しているのか。よくも当人の目の前で、お前の子はかわいそうだなどと言えたものだ。

ただ、他方で、小さな娘を毎日保育園に預けることに関して、幾ばくかの後ろめたさを私が感じていたのも否めない。

本来なら幼児は家でずっと親と一緒にいるべきだ、とは全く思わない。思わないが、娘に無理をさせているのではないかという不安も当然あった。特に、保育園を利用し始めた頃は、保育士さんに預ける際に娘はいつも泣いて嫌がっていたし、休みの日に家で過ごせることを心底喜んでいる様子だった。幸い、その保育園は人も環境も素晴らしいところだったが、それでも、娘なりにさまざまな緊張やストレスに曝《さら》されながら保育園で過ごしていることを実感していた。だからこそ私は、他人から向けられた、こちらの事情も心情も考慮しない無神経な言葉に憤ったのだろう。

「かわいい」と「かわいそう」の近さ

それから、いま振り返ると、バス停で幼い娘に向けられた「かわいそう」という言葉と、私や連れ合いがいつも娘に向ける「かわいい」という言葉、その両者の近さが興味深くも思えてくる。

「かわゆい」が変化した語である「かわいい」は、元々は「顔映《は》ゆし」、つまり、顔が赤らむ、見るに忍びない、といった意味の言葉に由来し、中世以前は、小さい者や弱い者を不憫《ふびん》に思う心境を表す言葉として用いられていた。それが中世後半に至ると、同じく小さい者や弱い者に対する情愛の念や愛らしいと思う気持ちを示すようになり、次第にこの種の意味合いが優勢になっていく。そして、近世の後半以降は「不憫」の意味が次第に消失し、専《もっぱ》ら「愛らしい」という類いの意味で用いられるようになった（日本国語大辞典 第二版）。「かわいい」は、いまや世界各国で通用する言葉になったが、そうした国際語としての「カワイイ（kawaii, кавай, etc.）」も、小さなものの愛らしさのみを表す言葉として流通していると言えるだろう。

ただ、「かわいい」がいまは表立った仕方では「かわいそう」とか「不憫」といった意味で用いられることはないとしても、やはり、「かわいい」と「かわいそう」は深いところで結びついているように思われる。つまり、私たちが子どもを「かわいい」と思うとき、そこには、子どもをたんに愛らしく感じるだけではなく、子どもを憐れみ、胸を痛め、後ろめたく感じる、苦い感覚が入り交じっているのではないだろうか。

たとえば、自分の子に限らず、公園などで子どもたちが無邪気に遊んでいたりするのを眺めていると、平和で微笑ましい気持ちになると同時に、いまここに生まれてきたこの子たちを祝福しなければならない、という感情が自分のなかに湧き起こってくる。「君たちはこの世界に生まれてこない方がよかった」などという風に思い捨てるのは、あまりにみっともなく、無責任に思える。彼らは自分で「生んでくれ」と頼んだわけではない。勝手に投げ込まれた各々の場所で必死に生きる彼らのために、少しでもこの世界をましなものにする責任が私たち大人にはある。――この感覚は、たとえば「世代間倫理」という立派な言葉に仕立てて語ることもできるが、私にとってはさしあたり、子どもたちへの愛おしさと後ろめたさが綯《な》い交ぜになった感情と切り離せない。

言葉の歴史によって気づかされるもの

ところで、このように言葉の歴史を辿り、語源へと遡っていく営みは、哲学の議論のなかでよく行われることだ。たとえば、「幸せとは何か」という問いを扱う際にはしばしば、「しあわせ」という言葉が、「する」と「あわす」が結びついた動詞「しあわす（仕合わす、為合わす）」が名詞化してできたものである点に注目し、問いへの答えやヒントを探るという方法が採られることがある。

実際、「しあわせ」は元々、二つの事物がぴったり合った状態を指す言葉だった。そして、その状態は自分の意志や努力だけでは実現せず、それを超えた働きに大きく左右されるものだという受けとめ方が、この言葉には込められてきた。それゆえ、かつてこの言葉は「めぐり合わせ」や「運」、「運命」、「なりゆき」、「機会」といったものを主に意味し、しかも、良いめぐり合わせにも悪いめぐり合わせにも用いられてきた。つまり、「幸運」以外にも、「不運」、「不幸」、「人が死ぬこと」、「葬式」といった意味すらもっていたのである(日本国語大辞典 第二版)。

とはいえ、「しあわせ」という言葉の意味は本当は「めぐり合わせ」や「運命」といったものだ、というわけではない。時代が下り、現代に至ると、この言葉によって「めぐり合わせ」などを直接指すことはなくなり、不平や不満がなく心が満ち足りている状態としての「幸福」を主に指すものとなった。この変化はそれ自体として重要であり、なぜそのように意味が移り変わっていったのか、大いに検討する価値があるだろう。

ただ、同時に、現代のそうした「しあわせ」の用法ないし「しあわせ」観では見えにくくなっているものが、この言葉の歴史を遡ることで見えてくる面があることも確かだ。「めぐり合わせ」の類いから「幸福」へと意味が移ろっていったのは、この二つの事柄に深い関連性があるからだ、というのは自然で見込みの高い推定だろう。そして、この推定から、「しあわせ」についての新しい見方が開かれうる。あるいは、私たちが忘れがちだった見方が息を吹き返しうる。すなわち、「しあわせ」であるというのは、単に「心が満ち足りている状態」にある――幸福感を覚えている――という主観的な心持ちに尽きるわけではなく、誰かや何かとめぐり合い、自分の意志や努力を超えた働きに与《あずか》る契機と深く結びついている、という見方だ。

こうした点で、言葉の歴史を遡ることはまさに、「故《ふる》きを温《たず》ねて新しきを知る」ことの最も身近な実践となりうるものだ。

語源のみに事柄の本質を見ようとして、言葉の意味の時間的な変化を無視する姿勢――言うなれば「語源原理主義」――は間違っているが、かといって、いま現在表立っている用法のみに注目することも、一種の視野狭窄《きょうさく》に陥っている。言葉の歴史を時間をかけて辿り直すことは、「しあわせ」であれ、あるいは「かわいい」であれ、普段滑らかにテンポよく言葉を使っているときには意識しない、これらの言葉の興味深い奥行きを確かめることになるはずだ。

そしてその作業は、いま「しあわせ」とされることとの向き合い方や、「かわいい」とされるものとの向き合い方について、私たちにいま一度考える機会を与え、ときに大きなヒントを与えてくれるだろう。

8 「お父さん」「先生」——役割を自称する意味と危うさ

子どもを守り導くべき者の自称

この頃、娘と会話したときに、自分自身のことを自然に「お父さん」と呼んでいることに気づいた。これは自分には驚きだった。

子どもが生まれてから、家のなかでは「自分」や「俺」などの人称代名詞以外に、「お父さん」を名乗るようになった。「パパ」という言葉を使うのは、自分にはどうにも気恥ずかしくて無理だった。けれど、「お父さん」と自分で言うのも照れくさい。慣れない服を着るような気持ちでぎこちなく使ってきたものの、六年も経てばさすがに板につくようで、今では子どもに対してだけではなく、ときには連れ合いにも、「お父さんが」、「お父さんの」などと自然に口にしている。そうか、こうして世の夫婦は、互いを「お父さん」「お母さん」、「パパ」「ママ」と呼び合うようになるのか、ということを身をもって理解した。

人は、固有名詞や人称代名詞の担い手であるだけではなく、何らかの社会的役割を表す普通名詞の担い手でもある。「先輩」、「後輩」、「生徒」、「学生」、「社員」、「運転手」、「スタッフ」、等々。ただし、自分自身に対する呼称として用いられるものは少ない。たとえば、会社で「部長」と呼ばれている人も、自分自身で「部長はこう思うけどね」などと言ったりはしない。

その例外として、「お父さん」、「お母さん」、「おじいちゃん」、「おばあちゃん」などのほかにすぐ思いつくのは、「先生」だ。大学の教員の場合は「先生」と自称することはまずないが、幼稚園や小中高の教諭が自分のことを「先生」と呼ぶのは特に不自然ではない。

これらの例外的ケースに共通するのは、子どもを守り導くべき者の自称だという点だ。「お父さん」や「お母さん」等々も、そして「先生」も、子どもから見た自分の立場にほかならない。それを一人称として用いることによって、いまの自分が、子どもを保護し、ときに教え諭す役割を担う者であることを、自ずと示しているのである。

そう考えれば、大学の教員が普通は「先生」と自称しない理由も判然とする。というのも、自分も含めて大学の教員は、学生のことを（理想的には）対等な大人同士の関係において、特定の学問分野に関する知識や方法論を伝える相手として位置づけているからだ。

また、大学院生に対しては、（これも理想的には）研究共同体の仲間として、少なくとも特定の領域に関しては自分を上回る知識を獲得し、自分以上の成果を出してくれることを期待している。いずれにせよ、大学の教員にとって、学生から見た自分の立場は「保護者」ではないということだ。

目下からの「あなた」が不快に感じられる理由

学校における「先生」という呼称をめぐっては、『オトナ語の謎。』[1]の冒頭に、糸井重里《いといしげさと》さんが高校時代に体験した興味深いエピソードが紹介されている。

ある日、定年退職を翌年に控えた先生と生意気な生徒が言い争っていた。とはいえ、先生の方は余裕な様子で、口元に軽い笑みさえ浮かべていた。しかし、生徒がある一言を発したことで、先生は突如として烈火のごとく怒り出し、「なんだ！　貴様は！」と怒鳴りつけたという。なにも生徒は、「バカ」だの「アホ」だのといった悪罵《あくば》を投げつけたわけではない。ただ、先生に向かって「あなたは」と言ったのだ。

おそらくその先生は、「お前」とか「てめえ」などと言われても怒らなかっただろう。「あなた」という、むしろ丁寧とも言える二人称で呼ばれたことによって、理性では抑えられないほどに感情を逆撫でされたわけである。つまり、そこでの「あなた」という呼称は、自分がその生徒にとっての保護者や恩師ではなく、議論の対等な相手として位置づけられたことを示すものであり、それが何よりも無礼に感じたのだろう。その先生は、まさに「先生」というアイデンティティを——生徒を一方的に指導する立場に身を置く資格ないし権力を——脅かされたのである。

子どもに対する「先生」という自称、あるいは、「お父さん」や「お母さん」などの自称は、子どもにとって自分がどういう役割を担うべき者かを示すものであり、その意味では、子ども中心の観点が反映されていると言える。

しかし、同時にこれらの自称は、子どもに対して圧倒的な優位に立ち、強い力を行使できる者の自称だという点にも、心を留めておくべきだろう。たとえば、子どもを性的に搾取しようと近づく男性の、「おじさんはね……」という自称の気持ち悪さには、役割を自称することが帯びうる危険な側面がこれ以上ないほど凝縮されている。

1 『オトナ語の謎。』、監修・糸井重里、編・ほぼ日刊イトイ新聞、新潮文庫、二〇〇五年（初刊：二〇〇二年）

9 「社会に出る」とは何をすることか

誰でもすでに社会に出ている

中高生の頃、学校の先生がよくこう言っていたことを思い出す。「社会は厳しいぞ」、「社会に出たら通用しないぞ」。

そう説教された生徒の側はといえば、「先生こそ社会に出たことないじゃないか」と陰で反発するのが常だった。そして、同様の物言いは大人の口からも、まさに常套句として発せられがちだ。「学校の先生は社会に出たことがないから常識がない」、「社会人として揉まれたことがないから、教師には未熟な者や非常識な者が多い」、等々。

しかし、そこで言われている「社会」とはどこのことだろう。「社会に出る」とは何をすることを意味するのだろう。「社会人」とは誰のことを指すのだろうか。

「社会に出る」ということが、たんに教職以外の業種の仕事に就くことを意味し、「社会人」とはそうした仕事をしている人のことを指すのであれば、社会に出ることも社会人になることも至極簡単だ。そして、どの職種や職場にも、未熟な者や非常識な者が嫌というほどいることを、私たちは知っているはずだ。同じ仕事を続けている人であろうと、転職を経験した人であろうと。

なかでも厄介なのは、ひとつの場所に慣れて未熟でなくなったベテランが、それゆえに偏った考え方に凝り固まってしまうケースだ。年を経て経験を積むごとに、当人にとっての「社会」はかえって狭くなる傾向すらあるのだ。

「社会」とは、決して一枚岩ではない、多様な人々が直接的・間接的にかかわり合いながら生きる場だ。その意味では、子どももすでに社会に出ている。そして、彼らにとって社会は決して楽なものではないし、大して守られているわけでもない。日々厖大《ぼうだい》な務めを果たし、大人と同様のシビアな人間関係――しかも、大人よりも遙かに露骨な人間関係――と、直接的な暴力の危険に曝されている。

私たちはよく、子どもの頃に戻れたら、と夢想する。けれども、もしも私が頭の中はそのままで体だけが小学生になり、あの名探偵コナンのように子どもとして暮らすことを本当に強いられるとすれば、私はその状況にとても耐えられないと思う。

敢えて「社会人」と呼ぶのなら

では、「ひとり立ちする」ことが「社会に出る」ことなのだろうか。いや、文字通りの意味で自立している大人など誰もいない。その仕事や生活が、どれほど多様な人々に依存していることか。

脳性麻痺の当事者である医師の熊谷晋一郎《くまがやしんいちろう》さんは、あるインタビューのなかで、「自立」の反対語が「依存」だというのは勘違いだと指摘している。たとえば熊谷さんが挙げているのは、東日本大震災のときに職場のエレベーターが止まり、自身が五階の研究室から逃げられなかったエピソードだ。健常者であれば、エレベーター以外にも階段やハシゴという別の依存先もあるから、下に降りられる。しかし、身体の自由が利かない熊谷さんには、そのときエレベーターしか依存先がなかった。

熊谷さんによれば、「依存先が限られてしまっている」ということこそ、障害の本質にほかならない。逆に言うなら、「実は膨大なものに依存しているのに、「私は何にも依存していない」と感じられる状態こそが、〝自立〟といわれる状態」だということである。

健常者は何にも頼らずに自立していて、障害者はいろいろなものに頼らないと生きていけない人だと勘違いされている。けれども真実は逆で、健常者はさまざまなものに依存できていて、障害者は限られたものにしか依存できていない。依存先を増やして、一つひとつへの依存度を浅くすると、何にも依存してないかのように錯覚できます。〝健常者である〟というのはまさにそういうことなのです。[1]

誰でも、否が応でも、すでに社会に出ている。にもかかわらず、敢えて「社会に出る」と言うのであれば、それは社会の多様な場所、多様な側面にかかわるようになることを指す――そう私は理解したい。ひとつの場所の方法や慣習にただ順応するのではなく、むしろそれを相対的に見て、別の可能性を想像できる場に立つことを意味する、と考えたい。

繰り返すように、社会は一枚岩ではない。「社会は厳しい」のではなく、社会は特定の人々に厳しい。敢えて「社会人」という、ある者を別の者と区別する言葉を用いるのであれば、社会の偏った厳しさを和らげようと努め、相互依存の網の目からこぼれ落ちる人々に手を伸ばす者を、「社会人」と私は呼びたい。

1 「自立は、依存先を増やすこと 希望は、絶望を分かち合うこと」、『TOKYO人権』第五六号、二〇一二年一一月二七日 (https://www.tokyo-jinken.or.jp/publication/tj_56_interview.html)

10 「またひとつおねえさんになった」——大人への日々の一風景

新しい経験への憧れとためらい

以前、家族で山梨を旅行した。夕食後、宿でさきいかをつまみにビールを飲んでいると、当時四歳の娘が近くに寄ってきた。そのさきいかを食べてみたいという。硬いからよく噛んで食べなと言うと、力強くうなずいて、手に取った白いさきいかをまじまじと見つめ、慎重に口に運び、何度も噛みしめてから飲み込んだ。おいしかったかと尋ねたら、「おいしい」という。（そのわりに、二つ目を手に取ろうとはしなかったが。）そして、「これでまたひとつおねえさんになった」と言い、いささか誇らしげな表情を見せた。

さきいか以外にも、娘の好奇心は尽きない。普段から彼女は、食卓の辛子明太子やらキムチやらに興味を示しては、「もうちょっとおねえさんになったらね」とストップをかけられている。彼女にとって「おねえさん」とは、常に少し先にあり続ける目標だが、大人っぽいと彼女が思う経験をするたびに、少しずつ成っているものでもある。

とはいえ、幼い娘の毎日は〈はじめて〉の連続であり、驚きと恐れに満ちている。彼女は三歳のときにはじめてサイダーを飲んだ。暑い日だったし、甘いから気に入るかなと思って勧めたのだが、口に入れた瞬間に物凄く驚いた顔をし、すぐに大声で泣き出して止まらなくなった。慌てて、彼女がいつも飲んでいる麦茶を飲ませると、ようやく落ち着いてくれた。

口のなかで炭酸が弾ける感覚、それを彼女は生まれてはじめて味わって、パニックになったようだ。後になって、口のなかが痛かったとも言った。そうか、しゅわしゅわした飲み物を最初に口に含むというのは、確かにひどく奇妙で不思議な経験だろうと思いつつ、「まだ早かったね」と娘に謝った。

それ以降、私がビールや炭酸水を飲んでいるときに娘はよく、「そろそろ飲めるかなあ」とつぶやく。弱い炭酸のジュースなら大丈夫じゃないかといつも答えるのだけれど、はじめてのサイダーの記憶がまだ生々しいらしく、実際に飲んでみようとはしない。

馴染んだ世界からはみ出す冒険

娘に限らず、小さな子どもは、同じ遊びを繰り返したり、同じ絵本を何度も読み聞かせてもらうことを好む。加えて、わが娘は替え歌を嫌がる。私や連れ合いがふざけて、娘がよく知っている歌の一節を少し替えて歌ったりすると、強く抗議して、オリジナルの歌詞に直すよう要求するのが常だ。

この子にとって、世界は〈はじめて〉ばかりの、あまりに不確かなものだ。それに適応しようと日々気を張って生きている彼女からすれば、きちんと同じことが繰り返される遊び、物語、歌、同じ味の飲み物や食べ物などは、束の間落ち着ける安全地帯のようなものなのだろう。

それでも、子どもは、自分がよく見知ったその安定した場所から進んではみ出し、危険を冒そうともする。得体の知れない食べ物に自分で手を伸ばし、昨日は怖がって触れなかった虫を捕まえようとし、昨日よりも高い所からジャンプしようとする。命がけで、安全地帯とその外の間を揺らぎ続けているように見える。

子のそういう姿を見ながら、親は何ができるんだろう、何をすべきなんだろうと、いつも考えてしまう。ただ、そんな悩みは、親のたんなる自惚《うぬぼ》れに過ぎないのかもしれない。さきいかを咥えつつビールを飲んでいる、だらしない私の姿すら、彼女にとっては「またひとつおねえさんになる」ための素材と化すのだから。

11 「豆腐」という漢字がしっくりくるとき
——言葉をめぐる個人の生活の歴史

「豆腐」より「豆富」？

「豆腐」という名前はときに忌避される。日本語では「腐」という漢字が、ものが腐ることをはじめとして、悪いことしか意味しないからだ。そのため、飲食店などでは「豆富」という当て字が用いられていることもある。

「豆腐」という名前の由来に関して、豆腐と納豆が中国から伝わったときに名前が入れ替わってしまったのだ、という説がある。確かに、豆腐と納豆の外見を考えるともっともらしい気もする。しかし、これは完全に間違った俗説だ。というのも、日本に伝来する以前から、豆腐はすでに中国で「豆腐」と呼ばれていたからだ。この場合の「腐」が中国語で元々何を意味していたかについては諸説あるが、軟らかい凝固物を指すとか、「あつめる」の意味であったといった説が有力だ（国史大辞典）。

ただ、語源がどうであれ、「豆腐」という名前を嫌う人は少なくない。自分はといえば、豆腐は昔から好物だったものの、やはり、なぜ「腐」という漢字が食品の名前に使われているのだろうと疑問に思ってきた。その否定的なイメージが一変したのは、ひとつの出来事があったからだ。

言葉というものが、多くの人々が受け継いできた生活の歴史だけではなく、個人の来歴——個人の生活の歴史——とも深く結びついていることのささやかな一例として、以下にその出来事を紹介したい。

ある日の朝に買った、普通のおいしい豆腐

二〇〇六年の秋、自分が博士課程の大学院生だった頃のことだ。渋谷で友人たちと呑んで、終電を過ぎても呑み続け、電車の始発が動き出す前に解散した。辺りはまだ青一色のような世界で、徐々に空が白み始めていた。タクシーだけが横を通り過ぎていくなか、自分は家までの長い道をとぼとぼと歩き続けた。

途中、明かりが煌々《こうこう》とついた一角があって、足を止めると、豆腐屋だった。筆で書いたような太い字の「〇〇豆腐店」という古い看板が光っていた。店先には醬油やらタレやら

乾物やらがすでに並べてあって、大豆が炊き上がった湯気が惜しげもなく往来に流れていた。おからのいい匂いが、周囲に充満していた。

店の少し奥の方で、中腰になりながらてきぱき作業をしているおじさんがいることに気づいた。次の瞬間、その人と目が合った。自分はたぶん、このおじさんは何でこんな時間から振り切れた状態で元気に仕事をしているのかと、半ばあきれた顔をしていたのだろう。そのおじさんも、わりと緩んだ顔になって、別の意味であきれた顔をしつつ、自分を見ていたと思う。

自分は会釈をして、それからすぐに、「豆腐はありますか」という声が口をついて出てきた。普段はそんな不躾な振る舞いはとてもできないのだけれど、このときにおじさんとの距離を急に縮めるようなことをしたのは、単にまだ相当酔っていたからだろう。

おじさんは気持ちのいい人で、にっこり笑って、たっぷりの水にさらされている豆腐をさっとパックに移してくれた。一八〇円を払って、かたちを崩さないように大事に持って帰った。飲み過ぎていたので、帰ってからも食欲が出ない。布団のなかで、豆腐は明日起きてから醤油で食べようか、昆布の出汁で温めて湯豆腐にしようかと考えながら、長い一日がようやく終わった。

翌日は妙に暑い日だったこともあり、冷蔵庫から出した豆腐はそのまま、少し醤油を垂らして、冷や奴にして食べた。一口一口が、涸れた喉と疲れた胃に、しみじみと染みわたった。本当においしくて、とろんとした気分になりながら、昨日の豆腐屋の佇まいと、なかのおじさんのことを思い浮かべていた。

いまから思い返すと不思議な気もするのだが、このとき自分は、確かに焦りの気持ちを覚えていた。自分はこの豆腐ほどのものを生み出すことができるだろうか、そういう種類の焦りだ。当時はまだ博士論文にも全く取りかかることができておらず（実際に博士論文を提出したのは、それから五年後のことだ）、自分は何者になれるのか、何が残せるのか、強い不安のなかにいた。その自分にとって、日々継続される確かな仕事によってつくられたその普通の豆腐が、シンプルなかたちと洗練された滋味も相俟って、自分のしていることの卑小さと対照を成していると実感したのだろう。

そうして豆腐一丁に奮い立たせられながら、同時にまた、おいしい豆腐を売る豆腐屋があるうちは自分は十分幸せな生活を送れると思うと、少しほっとした気持ちになったのも覚えている。大学院生というのは、常に将来への不安と、現在の窮乏に苦しむ存在だ。そのなかで、豆腐屋の豆腐のおいしさは、自分にとって確かな心の拠り所にもなった。

ただこれだけのことなのだが、以来、自分にとっての豆腐のイメージは、あの「○○豆腐店」の看板の文字と、あの店、あのおじさんの姿とともにある。だから、自分にとっては豆腐は「豆腐」であり、「豆富」ではない。

豆腐屋のある街

余談だが、この出来事以降、自分は引っ越しをする際には常に、おいしい豆腐屋が近くにある物件を探してきた。不動産屋でも、「この豆腐屋から半径五百メートル以内にある物件を……」とリクエストしたりする。

そうすると、担当者の頭の上に大きなはてなマークが浮かんでいるのがはっきり見える。担当者は当然まったく呑み込めないので、そのリクエストなどそもそもなかったかのように応対し、全然関係のない物件を勧めてくるのが常だ。そこで自分は再度、「いや、だから、本当にこの豆腐屋からですね……」とリクエストを繰り返すことになる。

真面目な話、おいしい豆腐屋が生き残っている街は大丈夫な可能性が高いと思っているし、実際にそうした街を選んで何度か引っ越しを重ねてきたが、どこも「当たり」だった。

そのような街は、スーパーの数十円の豆腐に負けず、ちゃんとした豆腐屋の仕事が住民たちにちゃんと評価され、日々買われ、彼らの生活の一部になっている場所だからだと思っている。

第二章

規格化とお約束に抗して

1 「だから」ではなく「それゆえ」が適切？
――「作法」に頼ることの弊害

無理に使われる〝論文っぽい〟表現

専業の非常勤講師だった頃を含め、私はおよそ十五年間、大学の教員を続けている。この間、厖大な量のレポートや卒業論文の草稿などに目を通し、アドバイスや評価を行ってきたが、特に学部生が書いたレポートに関しては、「皆さんは○○をご存知だろうか」という一文から始まるものがあったり、「○○しては如何《いかが》だろうか」という一文で終わるものがあったりして、ときに苦笑することもある。ただ、これらはまあ、レポートの書き方をまだしっかり学んでいないことを示しているに過ぎない。

むしろ気になるのは、学部生のレポートや卒業論文のなかに、不自然に論文っぽい表現が散見されることの方だ。妙にかしこまった表現や、もってまわった表現が、無理に使われているようなケースが目につく。そして、それは学生のせいというよりも、彼らに対してレポートや論文の「作法」ないし「お約束」をとやかく述べる言説が影響を与えた結果だろう。

現在、本にもネット上にも、次のようなアドバイスが溢れている。いわく、読む方はあなたの主観に関心はありません。ですから、「〜だろう」とか「〜だと感じる」といった表現は避けて、「〜だと推測される」とか「〜だと考えられる」という風に言い換えましょう。また、「だから」や「けれども」などはくだけた表現ですから、「それゆえ」や「しかし」といった適切な表現に置き換えましょう、云々。

冗談ではない。論述を行う学術的文章であっても、自分の考えや感覚を記述すべき場合は数多く存在する。そして、そこでは当然、「〜だろう」や「〜だと感じる」としか書けない場合がある。また、「それゆえ」ではなく「だから」という表現が何よりもぴったり合う文脈や、「しかし」よりも「けれども」がしっくりくる文脈も数多くありうる。

もちろん、事実のみの記述に徹すべき場合や、〈仮説 → その根拠・論拠となるデータの提示 → 結論〉といった形式を遵守すべき場合も存在する。ただしそれは、学問分野やレポート課題の内容などによりけりだ。はじめからすべてのレポートや論文で書くべきこと、用いるべき表現の種類が決まっているわけでは全くない。

（ちなみに、野暮なことを言うと、この種の言い換え例をリスト化した草分け的存在である『ぎりぎり合格への論文マニュアル』[1]は、その書名の通り、レポートや論文をどうにか形にして提出するためのいわば「窮余の一策」としてリストを示しているのであって、そこには、論文的な文体を皮肉る意味合いも込められている。問題は、この種の言い換えが現在、当然行われるべきこととして規範化されてしまっている、という点にある。）

しっくりくる言葉を吟味するということ

以上の事柄と関連して気になる点がもうひとつある。学部生の書く哲学・倫理学の論文は、まず何らかの問いを立て、それに対する答え（および、その答えの根拠）を探究する、という手順を踏むのが一般的だ。このとき、読む側からすると、なぜそれを問うのかという大本のポイントが掴めない場合がある。その問いに客観的な重要性があるかどうかが明確でなかったり、逆に、あまりにメジャーな問いであるがゆえに、それをなぜ今こうしたかたちで問うのかが分からない、といった具合だ。

そうした場合、論文指導の最初にまずこの点を学生に尋ねると、学生本人のこれまでの経験が問いの基層にあるケースが多い。たとえば、高校時代にかくかくのことに悩んだとか、アルバイト中にしかじかの場面に遭遇したといった経験だ。それを聞いて腑に落ち、論述の内容に入り込めるようになったとき、私は学生に対して、論文の冒頭において当該の経験に――書ける範囲で、あるいは、より一般化したかたちで――触れつつ、問いを自然に導くかたちにしてはどうか、と提案することもある。（さらに、そこからその問いの客観的な重要性を示す論述が必要な場合もあれば、問いが明確に示されれば、それだけで十分に重要性が分かる場合もある。それもケースバイケースだ。）

　すると、よく勉強している学生ほど、そういうことを書いていいんですか、と驚く。なぜ書いてはいけないと思うのかと聞き返すと、いわゆる「論文・レポートの書き方」本やネット上のアドバイスによくそう書いてあるのだという。レポートは高校までの作文や読書感想文とは違いますから、個人的な経験に基づいて議論してはいけません。はじめからおわりまで、客観性ないし一般性のある論述を心掛けましょう、と。

　確かに、たとえば物理学や数学の論文であれば、個人的な経験から議論を起こしていくことはありえないだろう。しかし繰り返すように、すべての論文がそうあるべきと決まっているわけではない。分野やテーマによっては、具体的な事例を起点としたり、具体的な事例を積み重ねたりするかたちで、一般的な結論へと向かっていく、という論述はいくらでもありうる。あらゆるケースで個人的な経験や動機の記述は不要であるとか不適切であるなどということはないのだ。

これは、個々人がそれぞれ完全に自由なスタイルで、自分の印象や好みを書き散らかせばよい、と言っているのではない。段落の行頭は一字下げる、「です・ます」調ではなく「である」調で書く、引用文献の出典情報を統一的な仕方で明確に記す、一定のアウトラインに沿った論述を行う、最終的には一般的な論点を提示するかたちにもっていく、等々、一定の型に嵌《は》まった文章を書く訓練を積むことはとても大事だ。これは言うまでもない。

しかし、短いレポートはともかくとして、卒業論文の執筆などは単なる練習ではなく、同時に本番でもある。本来なら、最後まで型通りのお約束や借り物の表現に振り回されるのではなく、自分自身で書いたと言えるもの――自分自身の言葉や思考だと言えるもの――を目指して試行錯誤されるべきものだ。（そして、その試行錯誤には、吟味の結果として型通りの表現を意識的に選び取るということも含まれる。）

規格化された形式や表現を押しつける杓子定規な「作法」は、ときに害悪となる。何も考えずにかたちだけそれっぽい文章をこしらえることよりも、自分で納得のいく、しっくりくる言葉を吟味することの方がよほど大事だ。少なくとも私は、学生たちの主観にも経験にも、そして表現にも、大いに関心がある。

1　山内志朗『ぎりぎり合格への論文マニュアル』、平凡社新書、二〇〇一年（新版：二〇二一年）

2　「まん延」という表記がなぜ蔓延するのか
――常用漢字表をめぐる問題

間の抜けた印象を受ける交ぜ書き・平仮名書き

『ペルソナ――三島由紀夫伝』[1]の終盤に、次のようなくだりがある。著者の猪瀬《いのせ》直樹《なおき》さんが取材のためにテレビ局のアーカイブに出向き、一九七〇年当時の三島自決を伝えるニュース番組をチェックしていると、事件現場の自衛隊市ヶ谷駐屯地の正門の様子が映し出された。猪瀬さんは、それを見たときの感慨を次のように綴っている。

看板の墨文字が「市ヶ谷駐とん地」となっている。「屯」は、たむろするという意味である。平仮名の「とん」の間の抜けた印象がたまらない。
とたんにすべてが滑稽に見えてきて、やがて悲愴感ただよわせた三島の顔と重なり、憐れみを覚えた。（同書三五七頁）

同様の間の抜けた印象を受ける文字の並びは、現在でも公用文書や報道記事などによく見られるものだ。たとえば、「ちゅうちょなく財政出動を」という識者の談話が紹介され、公務員の「あっせん収賄」や漁船の「だ捕」のニュースが報じられ、証拠の「ねつ造」や「改ざん」が批判され、医療体制の「ひっ迫」が懸念されている。

そのなかで、二〇二一年現在最も目立っているのは、「まん延防止等重点措置」という法令用語だろう。この言葉は、「まん延防止」や「まん防」とも略されながら、連日マスメディアに躍っている。そして、緊張感を与えない表記だという批判も呼んでいる。

漢字使用の規格化——当用漢字表と常用漢字表

以上のような平仮名書きや、漢字との交《ま》ぜ書きが蔓延しているのは、内閣告示による「常用漢字表」が公用文書や新聞などにおける漢字使用の目安になっているからだ。

先の例で言えば、「躊」や「躇」、「斡」、「拿」、「捏」、「竄」、「逼」といった漢字が常用漢字表に入っていないため、「躊躇」や「斡旋収賄」、「拿捕」、「捏造」、「改竄」、「逼迫」という漢字表記が避けられ、交ぜ書きや平仮名書きが行われている、ということである。

常用漢字表は、第二次世界大戦直後の一九四六年に内閣が告示した「当用漢字表」を前身とする。当用漢字表には、「法令・公用文書・新聞・雑誌および一般社会で、使用する漢字の範囲を示したもの」として一八五〇個の漢字が掲載された。そして、この表の使用上の注意事項では、「この表の漢字で書きあらわせないことばは、別のことばにかえるか、または、かな書きにする」と記されているほか、専門用語についても、「この表を基準として、整理することが望ましい」と記されているように、この表に存在しない漢字――いわゆる「表外字」――の使用を積極的に制限する性格が強かったと言える。

　これに対し、後継の「常用漢字表」（一九八一年告示）は、当用漢字表よりも漢字や音訓の数が増やされている。さらに、この表が法令や公用文書、新聞、雑誌などにおける漢字使用の（規範ではなく）あくまでも目安であることがはっきりと強調されているほか、「この表は、科学、技術、芸術その他の各種専門分野や個々人の表記にまで及ぼそうとするものではない」とも明記されている。この姿勢は以後も堅持されつつ、二〇一〇年には常用漢字表の見直しも実施されており、漢字および音訓の数はさらに増加して、現在は二一三六字（四三八八音訓）となっている。

　こうした推移のなかで、交ぜ書きについてはいくつか解消されたものもある。たとえば、

「屯」の字は一九八一年の常用漢字表に入ったため、それ以降は公用文書や報道記事などで「駐とん地」や「とん田」といった交ぜ書きを見ることはまずない。それから、二〇一〇年の改定常用漢字表に「拉」や「綻」、「塡」が入ったことにより、「ら致」や「破たん」、「補てん」といった交ぜ書きもメディアなどから姿を消しつつあり、「拉致」や「破綻」、「補塡」と表記されることが多い。しかし、先に挙げた「まん延」や「ひっ迫」、「ちゅうちょ」等々をはじめとして、依然として数多くの交ぜ書き・平仮名書き表記が存在することも確かだ。

交ぜ書き・平仮名書き・当て字によって失われるもの

上記のような交ぜ書きや平仮名書きの問題は、さしあたり、不自然で不格好だということである。

もちろん、文芸作品など、個人が書く文章のなかで交ぜ書きや平仮名書きが意図して用いられ、効果的に美しく立ち現れているケースや、文章のなかに自然に融《と》け込んでいるケースはありうる。それはまさに、文体の工夫や個性といった範疇の事柄だ。

しかし、公用文書や報道記事などにおいて、交ぜ書きや平仮名書きがそうした効果をもつことは期待できないし、そもそも、文体の工夫や個性というもの自体がそこでは求められていない。むしろ、そのような表記は悪目立ちという弊害を生じさせることになる。たとえば、記事のなかに「ちゅうちょなく実行する」という表現があったとしよう。これらと「躊躇なく実行する」とを見比べたとき、「躊躇」の字を読める者ならば後者の方が自然に視認しやすく、遙かに意味を掴みやすい。「手が打たれないままままん延」と「手が打たれないまま蔓延」を比較した場合も同様だ。

漢字の特長のひとつは、このように、平仮名に比べて「固まり」として目に入ってきやすいため、見た瞬間にパッと分かるという点にある。逆に、平仮名（およびカタカナ）には、同音異義語の区別がつかないという、表音文字であることによる不可避の弱点も存在する。たとえば、「煉瓦」の「煉」が表外字であるために「れんが」と平仮名書きすると、詩歌の方の「れんが（連歌）」と見分けがつかなくなる、といった具合だ。

また、たとえば「蔓延」の「蔓」は、草冠の字からも分かるように、草や蔓《つる》が伸び広がることを意味している。平仮名にすると、こうした漢字の機能が失われ、文字から元の意味を辿ることができなくなる。（そしてこれは当然、ほかの交ぜ書きや平仮名書きにも言える。）千年単位の歴史をもつ多くの単語に関して、意味の成り立ちのトレーサビリティー

（追跡可能性）が失われてしまうのだ。

漢字の構成から意味を読み取るということに関しては、当用漢字表や常用漢字表の制定に伴う当て字表記にも問題がある。たとえば「かっこうがよい」などの「かっこう」の本来の漢字表記は、「格好」ではなく「恰好」であり、後者の「恰」は、「あたかも、ちょうど」といった意味をもつ漢字だ。それが、戦後に「恰」が表外字となったことから、公用文書などでは同音の「格」が代用字として用いられるようになり、やがて一般化した、という経緯がある。その結果、「かっこう（格好）」という言葉は、その元々のかたちや意味の成り立ちを辿ることができないものになってしまっている。（そして、同様の例はほかにも、「抽籤」から「抽選」へ、「象嵌」から「象眼」へなど、無数に存在する。）

少なくとも交ぜ書きに関して言えば、私はこれまで、この種の表記を歓迎するという記者や編集者にはひとりも会ったことがない。この話題を向けると、あれは嫌だと皆さんが明言される。新聞社の記者などは社内の表記ルールに従わざるをえないから、交ぜ書きや平仮名書きになってしまう熟語を避けて別の表現を探す、という方もいた。

先述の視認性や意味の問題に加えて、こうした事態が実際に起こっていることが、まさに常用漢字表をめぐる最大の問題のひとつだと私は考えている。つまり、この表を遠因とするかたちで言葉の使用に障害が発生しており、さまざまな場面で、本当は使いたい言葉やしっくりくる言葉を選べないことがある、という事態だ。

全廃すべきか、放置すべきか

それゆえ、交ぜ書きはすべてやめるべきだ、といった意見もときに見られる。しかし、そうやって機械的に決めてしまうのも、それはそれで問題だ。

たとえば、現在多くの機関が交ぜ書きを採用している言葉はすべて漢字表記にして、「蔓《まん》延」、「改竄《ざん》」という風にルビを振る、ということになるとしよう。ルビは有用だが、しかし万能ではない。たとえば、目の悪い人や識字障害のある人にとってはルビは非常に読みづらい場合がある。また、紙媒体ではなくウェブ上だと、ルビが振られた文章はきれいなレイアウトで表示できないページがいまのところ多いから、その点で読みにくいものになってしまう。かといって、多くのネットメディアで採用されているように、ルビではなく漢字の後に括弧《かっこ》をつける形式にすると、「感染症の蔓延（まんえん）による病床の逼迫（ひっぱく）が医療体制の破綻（はたん）を招く」という風に、ときに括弧だらけになって、やはり視認性の悪い文章になってしまう。そのため、たとえば私がネットメディアに寄稿する際には、ルビ代わりの括弧が頻発することを避けるために、本当は選びたかった表現を諦めることがしばしばある。

また、交ぜ書きや平仮名書きをすべて解消するとすれば、常用漢字表に追加する漢字の数もかなり増加することになるから、知識に関する人々の格差を深めることにつながりうるという問題もある。戦後に当用漢字表がつくられた背景には元々、漢字の数が多すぎることが日本語の学習を難しいものにしている、という意識があった。[2] 現在も、教育をめぐる環境の違いなどによって、人々の間で読み書きできる漢字に大幅な開きがあることや、漢字の存在自体が、たとえば日本に住む外国人が日本語を理解しようとする際の大きな障害となっていることなどが、しばしば指摘されている。多様な背景をもつ人々の包摂や、多文化間の共生を目指すという観点からすれば、常用漢字表の複雑化は必ずしも歓迎すべきことではないだろう。（なお、この論点については、次節で主題的に扱う。）

さらに、そもそも何をもって忌避すべき「交ぜ書き」とするか、という線引きや定義の問題もある。たとえば、本書でも用いている「子ども」という表記は、近世になって生じた「子供」という漢字表記が一般化していった経緯（日本国語大辞典 第二版）を考慮すれば、これは交ぜ書きだと言いうる。ただ、「こども」は古代から存在する言葉であり、元々は「こ（子、児など）」の複数形（こ＋ども）であることに鑑みれば、「ども」を平仮名で表記するのは珍しいことではない。たとえば、松尾芭蕉《まつおばしょう》の「夏草や　兵《つわもの》どもが　夢の跡」という俳句がその一例だ。さらに、「供」の字が「そなえる」、「差し出す」、「役立てる」、「身分の高い者に付き従うこと」といったことを主に意味することから、「子供」という表記を嫌う向きもあるようだ。

ともあれ、個々の言葉をめぐる事情を考慮せずに、一律に「交ぜ書きの全廃」といった極端な変更を行うのは明らかに悪手だ。それによりかえって表現が制限される場合もあるだろうし、ほかにも、いま触れてきたような種々の問題が生じるだろう。したがって重要なのは、具体的な中身を見ずに機械的に判断を行うのではなく、ひとつひとつの言葉について検討し直していく地道な作業にほかならない。

新たな略字の検討の可能性

私たちに検討できることには、さまざまな種類のものがある。たとえば長期的には、新たな略字（略体字）の作成を検討する価値も十分にあるだろう。現在、私たちの一般的な文字のコミュニケーションは電子メールやSNSなどが主流となり、漢字を手書きする機会は減少し続けている。（私も、たとえば授業で板書するときに漢字が書けなくて焦ることがしばしばある。）この傾向が進んで、〈読めるだけで書けない漢字〉ばかりになることも、日本語の痩せ細りを意味するだろう。漢字と平仮名・カタカナのハイブリッドという体系を、豊かなかたちで後世につないでゆくためにも、「躊躇」や「鬱《うつ》」、「顰蹙《ひんしゅく》（を買う）」等々の出現頻度が高い漢字に関しては、手書きするのにそれほど骨の折れない略字があってもよいのではないだろうか。

そして、もしも略字を検討するという場合には、筆記が容易でありつつも、単語や漢字の元々の成り立ちや字形などを遡って確認しやすいこと——単語や漢字のトレーサビリティーが確保されること——といった条件をクリアする必要があるだろう。そのためには、日本語、漢字、伝統的な簡略書体（草書など）、および関連する諸領域に関する十分な専門的知見に基づく、長期にわたる慎重な研究が求められることになる。

表記のあり方を国任せにしない

いま触れたような〈新たな略字の検討〉といったものは、それこそ国家規模で行う必要のある事業だ。では、個々の交ぜ書きや平仮名書きなどについてはどうだろうか。その種の地道な検討作業は、具体的には誰が行うべきなのだろうか。

かつての当用漢字表のような、社会一般における漢字使用を積極的に制限する規範を国が示すことは、市民の自由な表現を妨げる恐れだけではなく、言葉の自然な発展や変化を阻害する恐れがある。この点については、現在の国の行政機関（文部科学省、文化庁など）やその諮問機関（国語審議会、および後継の文化審議会国語分科会など）はかなり注意を払っている。というのも、これらの機関がいま常用漢字に関連する施策を講じる際には、それがあくまでも目安であることを繰り返し明確にしているからだ。（この点については先にも触れた。）

しかし、どれほどこの点を繰り返し強調しようとも、国による「目安」はどうしても「規範」として働いてしまう面が強い。これにはさまざまな要因を探ることができる。たとえば、「国が白黒つけてほしい」という風に、国による介入を積極的に望む人がいつも一定数いることは確かだ。それから、たとえ消極的にではあっても、国が引いた目安を線引きの判断の拠り所とすることは、低コストで便利だということもあるだろう。（さらに、ほかの理由も考えられる。この点については次節で触れる。）

しかし、そこで「易きに就く」のではなく――つまり、国にすべて決めてもらうのではなく――、そこで示される目安を参考にしつつも、民間の文章については基本的に民間が自ら考え、決めていくべきだ。実際、たとえば日本新聞協会の新聞用語懇談会などでは、常用漢字とどう向き合うかについて長く真剣な議論が重ねられてきた。また、産経新聞や朝日新聞も、交ぜ書きなどの解消に向けた独自の取り組みを行っている。[3] だが、いまの新聞やテレビ、ネットニュースなどで飛び交う文章を見れば、間の抜けた交ぜ書きや平仮名書きがなお蔓延しているのが現状だ。それゆえ必要なのは、常用漢字表を金科玉条《きんかぎょくじょう》のものとしない姿勢と動きが、もっと活発で幅広いうねりになることである。ひとつひとつ丁寧に、そして着実に、報道記事などにおいて廃止すべき交ぜ書き・平仮名書きを特定して対処していくべきだろう。

日本語を痩せ細らせないために

例の「市ヶ谷駐とん地」の看板を見た猪瀬さんは、その文字に対して、「感性を徹底して摩滅させる」(『ペルソナ』三五八頁)ような官僚機構の精神に支配された、日常性の「醜いぐずぐず」(同書三五七頁)を見出している。私自身は、間の抜けた交ぜ書きや平仮名書きにそこまでのことを象徴させるつもりはない。(ちなみに、私がこれまで出会った国語施策にかかわる官僚たちは皆、日本語について本当に真剣に考えており、いわゆる「官僚的精神」に侵されてなどいなかった。）

ただし、「市ヶ谷駐とん地」という看板が長らく当地の門に平然と掲げられていたということに、私たちの社会の無視できない問題が見て取れることも確かだと思われる。

もちろん、規格の統一性や、すべての人にとっての分かりやすさというものが、社会において重要な側面をもっていることは言うまでもない。たとえば、自治体から地域住民に向ける言葉――特に、災害関連などの命にかかわる情報や、基本的な生活の維持にかかわる情報など――では、交ぜ書きや平仮名書き、ルビの多用などが必要になるケースが多いだろう。しかし、仮にそうした表記が全面化するとすれば、その弊害はきわめて大きい。文化遺産としての日本語（特に、漢字の豊かさ）が痩せ細り、また、日本語を母語とする者にとっては読みづらい文章が溢れることになるだろう。

必要なのは、繰り返すように、個々の表記についてひとつひとつ慎重に検討することである。しかも、検討だけで終わらせるのではなく、それぞれに関して当面の答えを着実に出していくことが必要だ。ただ延々と検討し続けるだけでは、現在の交ぜ書きや平仮名書きや当て字などをそのままにしておくことと変わらない。

交ぜ書きや平仮名書きなどの蔓延という現在の事態は、日本語がそのように自ずと変化したのではなく、わずか七十五年前の当用漢字表の制定によって人為的に生じた事態だ。そうである以上、感性の部分を摩滅させた言葉の使用に関してどこまで妥協すべきかというのは、私たち自身があらためて人為的に決めていくべき問題である。

最もよくないのは、そういうことになっているから受け入れてやり過ごす、という姿勢だ。いまも方々の学校に残る不自然な校則のように、その是非を有耶無耶《うやむや》にしてただ生き長らえさせる、ということは避けなければならない。「ちゅうちょ」や「まん延」といった表記を吟味せずにただ反復し続け、その不自然さや醜さには目を瞑るとすれば、それこそ〈感性を徹底して摩滅させる官僚的精神〉に自分を明け渡すことになる。

1 猪瀬直樹『ペルソナ——三島由紀夫伝』、小学館、二〇〇一年（初刊：一九九五年）
2 円満字二郎『昭和を騒がせた漢字たち——当用漢字の事件簿』、吉川弘文館、二〇〇七年、二一—二二頁、一八四—一八六頁
3 二〇二二年八月七日付、朝日新聞朝刊二面「常用漢字と私たち」

3　「駆ける」と「走る」はどちらかでよい？
——日本語の「やさしさ」と「豊かさ」の緊張関係

日本語の複雑化がもたらしうる悪影響

　前節で触れた通り、常用漢字表の前身である当用漢字表が制定された背景には、日本語の簡素化や平明化という目的があった。これに関して、交ぜ書き等を減らすために常用漢字を増加させるならば、日本語の学習をいま以上に難しいものにしてしまわないか、という疑問が生じうるだろう。多様な背景を有する人々の包摂や多文化の共生が重要性を増すこの社会の趨勢に、そうした複雑化は逆行しないだろうか。

　結論だけ言えば、この点についてはさまざまに知恵を絞ることが可能だ。たとえば、常用漢字表をいわば二段階化し、〈初期の日本語学習で最低限覚えておくべき漢字や、手書きできるのが望ましい漢字を収録した基本的なもの〉と、〈現行の常用漢字表よりも多くの漢字を収録した発展的なもの〉という二種類に分ける、というのもひとつのアイディアだ。ほかにも、後者の発展的な常用漢字表の方はむしろ作成せず、メディアにおける表記の統一については各自の自主的な議論と決定に委ねるなど、他にもさまざまな解決策がありうる。

本節では、視野をより広げて、同様の事柄を日本語全体の問題として捉えてみたい。すなわち、日本語の語彙の多さや文法の複雑さと、日本語の習得のしやすさとの兼ね合いを、私たちはどう考えればよいのか、という問題である。

〈やさしい日本語〉と、多様性への想像力

日本語学・日本語教育学者の庵功雄《いおりいさお》さんが著した『やさしい日本語』[1]は、簡略化された〈やさしい日本語〉の概要を示しつつ、社会におけるその重要性を指摘しており、目下の論点にとって非常に参考になる著書だ。

そこで提唱されている〈やさしい日本語〉とは、簡単にまとめるならば、(1)語彙を絞る、(2)文型を集約するなどして文法を制限する、(3)難しい表現を嚙み砕く、といった方法により、特定の障害のある人や在日外国人などにとっても習得や理解がしやすいように調整された日本語のことだ。

この〈やさしい日本語〉は、災害時における行政やメディアによる広範な情報発信という用途のほか、平時においても、多様な人々が暮らす日本の地域社会の共通言語として用いることによって、社会的包摂や多文化共生につながることが目指されている。具体的には、たとえば、

「地震直後に必要になる水や保存食はもちろんのこと、給水車から給水を受けるためのポリタンク等も事前に購入しておきたい」

という日本語ネイティブ向けの防災の呼びかけは、

「地震のすぐあとのための水や食べ物はとても大事です。水をもらうときのためのポリタンク（水を入れるもの）も買ってください」

といった文章に言い換えることが推奨される（『やさしい日本語』一八七―一八八頁）。

同書中で紹介されているエピソードのなかで特に印象深いのは、聴覚に障害のある一人の男性のエピソードだ。彼はろう学校で必死に日本語を学んだが、彼の母語である日本手話が日本語と大きく文法体系が異なることなどもあり、敬語の使い分けや助詞の使い方などはうまく習得できなかった。就職後、彼が「てにをは」の不自然な文――たとえば、〈仕事が終わらせる〉など――を書いたりすると、周囲の同僚にからかわれたり、蔑まれ

たりするようになり、相当の辛苦を味わったという（同書一三八―一三九頁）。同様のつらい思いは、日本で働く在日外国人なども少なからず経験していることだろう。

日本語を母語とする者が高度に使いこなしているものを皆が従うべき「規範」として立て、そこから逸脱した使用を嘲《あざけ》ったり厳しく注意したりするのでは、社会的包摂や多文化共生からは遠ざかるばかりだろう。むしろ、「日本で安心して生活するために最低限必要な日本語」（同書八六頁）を基準に皆が日本語の学習やコミュニケーションのあり方を考えていくことは、特定の障害のある人や在日外国人などが「日本の中に自らの「居場所」を作る」（同書七三頁）ことにつながりうる。

日本語ネイティブにとっての意義

以上の指摘は非常に重要だ。〈やさしい日本語〉を知恵を絞って構築し、日本語教育の現場などに普及させて日本語習得のハードルを下げることは、たとえば移民など、この国の地域社会で生きていく必要のある人々にとっても、また、彼らと共生していく日本語ネイティブの住民にとっても有益であることは間違いない。

さらに、同書では、〈やさしい日本語〉はそのほかの点でも日本語ネイティブ自身にとって大いに恩恵があると指摘されている。私も含め、日本語ネイティブはしばしば、「「適当に言っても通じる」というある種の「甘え」」(同書一八四頁)のなかにいる。たとえば、企業でも官庁でも大学等々でも、自分でもよく分かっていない曖昧な業界用語を符丁のように用いて、仲間内でうなずき合って過ごす、というのはよく見られる光景だ。また、無駄に難しい言葉をこねくり回して立派な話をしているように見せかける、というケースもしばしばあるだろう。

そうした甘えや幻惑から脱して、自分とは異なる背景を有する相手の立場に立ち、物事を分かりやすく表現して伝えようとすることは、多くの場面でコミュニケーションの成功の機会を増やしてくれるほか、物事のより明確な理解や、より多角的な理解を促進してくれるだろう。

すべてのケースで受容されるべきか

ただし、〈やさしい日本語〉が日本語それ自体の規範になってはならない。私はこの一点に関してのみ、〈やさしい日本語〉の推進に対して一抹の懸念を抱いている。

たとえば同書では、日本語ネイティブにとっては拙《つたな》く思えるような日本語も一種の「方言」ないし日本語のバリエーションであって、たとえば在日外国人がそうした日本語で「大学のレポートや会社のビジネス文書を書いても受容すべきだ」（同書二〇七頁）と言われている。もしもこの主張が、あらゆるレポートやビジネス文書についての規範的主張として展開されているのだとしたら、それには明確に反対したい。

大学教員としての私自身の経験でいえば、たとえば授業に出ている留学生と話し、その人の母語が日本語ではないと了解した場合には、その学生が日本語で書いたレポートについては、基本的に表現の部分に関する配慮を行っている。誤字脱字が多かったり、「てにをは」がおかしい箇所があったり、単語の選択に疑問があったりする場合でも、おおよそ目を瞑っている。そして、内容の方を重視して精査している。他方で、日本語ネイティブの学生については、そうした表現上のおかしさは減点の対象にしている。

私は、これが不公平な処置だとは思わない（ネイティブと非ネイティブの境界線が曖昧であるなど、微妙なケースは存在するけれども）。レポートの提出や採点といった一連の過程は、単位認定などのための評価の場であると同時に、教育の場でもある。それゆえ、採点の基準も、個々の学生の力を伸ばす方向で考えるべきであって、機械が採点するのではないのだから、画一的な基準で片づけるべきではない。ケースバイケースで、教員がそのつど頭を悩ませながら考えるべき事柄だろう。

たとえば私は、非日本語ネイティブの留学生が日本の大学院への入学を志望しており、将来的に日本語で論文を書く意志がある場合には、誤字脱字や「てにをは」の乱れなどの表現上おかしい部分について、学生の希望や習熟度に応じて指摘するようにしている。というのも、「てにをは」は必ずしも些細なものなどではなく、誤読を引き起こさない正確な文章を書く際に、しばしば非常に重要なポイントになるからだ。（このポイントについては、後の第四章第6〜7節で具体的に詳しく取り上げる。）

ビジネス文書に関しても、同様にケースバイケースと言えるだろう。「てにをは」や単語の選択などが重要なケースもあれば、そうでないケースもある。当該の文書がどのような目的で書かれ、どのような場で読まれるか等々によって、日本語ネイティブがそれを受容すべきかどうかは当然変わってくるのである。

言葉には、考えそのものをかたちづくる役割がある

また、たとえば専門家の繰り出す表現がときに難しいものになるのは、難しい言葉を無駄にこねくり回しているから——本当は分かりやすく言えるのに、敢えて好きこのんで難

しい言葉を用いているから――というケースも確かにあるが、それればかりではない。

医学であれ、工学であれ、法学等々であれ、専門家が扱う問題は、まさにその道の専門家が必要であるほどに、そもそも難しい。複雑な問題をあるがままに正確に捉え、解決の方途を正確に言い表そうとするならば、その表現はおのずと複雑で、繊細なものになっていく。

もっとも、専門家は常に難しい言葉の使用に終始していればよいというわけではない。専門家と市民との十分なコミュニケーションは本当に重要であり、そこでは難しい言葉はしっかりと嚙み砕かれるべきだ。（この点については、後の第四章第3節で主題的に扱う。）ただし、その前にまずもって、専門の領域において突き詰めた思考と表現が必要なのだ。

また、種々の社会問題の込み入った中身に分け入ったり、人間の心理の微妙な襞《ひだ》を分析したり、古来受け継がれてきた世界観や価値観の内実を浮き彫りにしたり、といった場合にも、慎重に繊細に言葉を練り上げることが必要となる。そうやって腐心することではじめて表現できることがあり、その表現によってはじめて見えてくるものがあるのだ。そして、そのような実践が可能であるためには、言語という巨大な文化遺産の奥深くにアクセスし、その厖大な蓄積を利用しつつ、変更を加えたり新たなものを付け加えたりしていく道が、私たちに確保されていなければならない。つまり、〈やさしい日本語〉ではなく、前掲書で言うところの「精密コードとしての日本語」（同書二〇九頁）を用いることが、そこでは可能でなければならない。

しかもそれは、各分野の専門家や、あるいは作家といった職業の人に可能であればよい、というものではない。〈精密コードとしての日本語〉の使用が私たちのうちのごく一部に限られてしまえば、そこに大きな知的格差や、あるいは権威・権力の偏りが生まれ、日本語は非民主化されてしまうことになる。また、そもそも、過去の言葉の蓄積を理解できる人が少なくなれば、その分だけ遺産自体が先細り、朽ちていってしまうことになる。

要するに、言葉は常に伝達のための手段であるわけではなく、しばしば、言葉のまとまりをかたちづくること――表現を得ること――それ自体が目的となる場合がある、ということだ。その点で、「日本語母語話者にとって最も重要な日本語能力は、「自分の考えを相手に伝えて、相手を説得する」ということである」（同書一八一頁）という、同書で繰り返されている主張は、言葉の働きの一方を強調し過ぎているように思われる。もちろん、その種のコミュニケーションスキルもきわめて重要だ。しかし、これがほかの何よりも重要であるというわけではない。すなわち、その伝えるべき「自分の考え」それ自体を生み出すことも、同じくらい重要な言葉の働きなのである。

表現力と思考力の低下を招かないために

それから、言語の簡素化と平明化を推進することが、必ずしも言語の民主化につながるとは限らない、という点も強調しておくべきだろう。

多様な人々の間で用いられる共通言語を意図してつくろうとする際には、一般的に、語彙と文法を制限して学習や運用のコストを減らすという方法がとられる。しかし、人工的な共通言語のこうした特徴は、たとえばジョージ・オーウェル（一九〇三―一九五〇）の小説『１９８４』[2]に登場する、全体主義国家の公用語「ニュースピーク」の特徴と似通っている。

本書第一章でいくつか具体的な事例を通して確認したように、多くの言葉は、物事に対する特定の見方、世界観、価値観といったものを含んでいる。（たとえば、「土足で踏み込む」、「かわいい」、「しあわせ」など。）言葉は思考を運ぶ単なる乗り物なのではなく、ある種、「思考が言語に依存している」（『１９８４』四六〇頁）とも言えるのである。そして、件《くだん》の全体主義国家は、言語のこの特徴を最大限に利用している。すなわち、旧来の英語をい、改良した「ニュースピーク」なる新しい言語を発明し、その使用を強制することによって、国民の表現力や思考力を弱め、全体主義に適う物事の見方に嵌《は》め込むのである。
ニュースピークの具体的な設計思想は、文法を極力シンプルで規則的なものにすること、そして、体制の維持や強化にとって不要な語彙を削減し続けることである。小説の登場人物の口からは、「年々ボキャブラリーが減少し続けている言語は世界でニュースピークだけだ」（同書八二頁）とも語られている。たとえば、「good（良い）」という言葉の程度を強めるのに「excellent（素晴らしい）」とか「splendid（見事）」といった言葉があるのは無駄であって、「plusgood（＋良い）」とか「doubleplusgood（＋＋良い）」という言葉で十分とされる（同書八一頁）。作者のオーウェルは、小説の付録として「ニュースピークの諸原理」を詳細に著しているが、そこで彼は次のようにも綴っている。

我々の言語と比較してニュースピークの語彙は実に少なく、さらに削減するための新たな方法がひっきりなしに考案され続けた。ニュースピークは他の言語と異なり、年々語彙が増えるのではなく、減少し続けたのである。選択範囲が狭まれば狭まるほど人を熟考へ誘う力も弱まるのだから、語彙の減少はすなわち利益であった。（同書

四七三—四七四頁 ※原文を基に一部改訳）

しっくりくる言葉を探し、類似した言葉の間で迷いつつ選び取ることは、それ自体が、思考というものの重要な要素を成している。逆に言えば、語彙が減少し、選択できる言葉の範囲が狭まれば、その分だけ「人を熟考へ誘う力も弱まる」ことになり、限られた語彙のうちに示される限られた世界観や価値観へと人々は流れやすくなる。ニュースピークとはまさに、その事態を意図した言語なのである。

簡素化した言葉は「ニュースピーク」に近づく？

語彙と文法の制限によって簡素化・平明化を実現したニュースピークは、淀みのない滑らかなコミュニケーションを人々に可能にさせるが、しかしその事態は、人々がこの言語によって飼い慣らされ、表現力・思考力が弱まり、画一的なものの見方や考え方に支配されることを意味していた。

もちろん、これは小説のなかの話であり、ある種の思考実験に過ぎない。（とはいえオーウェルは、二〇世紀前半に猛威を振るった現実の全体主義国家の言語政策やプロパガンダなどを手掛かりに、ニュースピークを周到に構想したわけだが。）

また、〈やさしい日本語〉はニュースピークのようなものだ、と言いたいわけでもない。ニュースピークは、全体主義に適わない世界観や価値観を表現する言葉を積極的に廃止し、「ありとあらゆる他の思考様式を完全に排除すること」（同書四六〇頁）を明確に意図して設計されている。その一方で〈やさしい日本語〉は、先に確認したように、地域に住む人々の多様な背景を尊重し、相手の立場に立ったコミュニケーションを推進することを目的としている。それゆえ、人々は〈やさしい日本語〉の使用によって、画一的なものの見方どころか、多角的なものの見方を獲得できる可能性が大いにあるだろう。

しかし、仮に〈やさしい日本語〉が全面化するとすれば――つまり、いかなる場面でも〈やさしい日本語〉の使用が推奨されたり要求されたりするとすれば――その際にはこの言語はニュースピーク的なものに近づくことになる。誰か（言語学者？ 国の機関？）が意図して減らした語彙と表現形式に従ったかたちであらゆる報道がなされたり、あらゆるレポートや論文が書かれたりするようになれば、どのような語彙や表現形式が制限されるかに応じて、思想的な偏りが生まれたり強まったりするだろう。また、たとえば価値中立的な言葉や政治的に中立的な言葉だけを用いる、といった方針を採ったとしても、言うまでもなくその方針自体が、一種の思想的な偏りを示すものとなる。

　そして、それ以前に、〈精密コード〉としての側面を失った日本語は、それを使用する者の表現力や思考力を著しく弱めてしまうことだろう。

「駆ける」と「走る」を「かしる」に統一するとどうなるか

　たとえば次のような想像をしてみよう。あるとき日本に専制的な国家が誕生して、今後はニュースピークならぬ「新日本語」を公用語として定めることを思いつく。そして、言語学者たちに対して、旧来の日本語とは異なり語彙も文法も極力シンプルなものになるように「新日本語」を設計せよ、と命じる。そこで、たとえばその言語学者たちは、「駆ける」と「走る」は本質的には同じ意味だから、今度の新しい言語では「かしる」という一種類の言葉で済ませよう、と決定する。このひとつの決定によって、果たしてどのような影響が生じるだろうか。

　注意すべきなのは、この架空の新語「かしる」は、「駆ける」と「走る」の両方の意味をもつ多義語ではない、ということである。そうではなく、「駆ける」と「走る」に共通する意味だけを抽出して「かしる」という記号列に割り当て、他の部分はすべて切り捨てる、というのが、当該の言語学者たちの方針なのである。それゆえ、もしもこの方針通りにしたとすれば、その新しい言語においては「自分の足で素早く移動する」という類いのことを意味する単語「かしる」だけが残り、「駆ける」や「走る」というそれぞれの言葉に含まれていた他の意味が失われることになる。すなわち、「駆ける」であれば、

「馬に乗って走る」、「飛ぶように速く走る」、「奔走する」

といった意味であり、「走る」であれば、

「通って続く（海沿いに道が走る、東西に山脈が走る、など）」、「ある方向に強く傾く（悪事に走る、感情に走る、など）」、「スムーズに流れる（筆が走る、今日のピッチャーは球がよく走る、など）」、「瞬間的に現れる（稲妻が走る、痛みが走る、むしずが走る、など）」

といった意味である。また、「駆けずりまわる」、「駆けつける」、「駆けめぐる」、「駆け出し」、「駆け落ち」、「走り書き」、「小走り」、「使い走り」、「突っ走る」、「才気走る」、「口走る」、等々、それぞれの言葉が他の言葉と結びつくことでもつ多様な意味も、「かしる」では担うことができない。

「駆ける」と「走る」を廃止して「かしる」に統一するように、類似した言葉を新しい単

一の言葉に置き換えていけば、その「新日本語」の語彙は、旧来の日本語よりも遙かにコンパクトなものになるだろう。それゆえ、学習やコミュニケーションのコストも減るだろうし、類似した言葉の中からひとつを選び取る手間もなくなるだろう。しかし、個々の言葉から延びているはずの広がり、奥行きも、同時に断ち切られてしまうことになる。

自然言語の語彙の複雑さや曖昧さは、無駄で不必要なものなどではない。自分たちの知識なり発想なりを優に凌駕《りょうが》するほど豊かな語彙の蓄積があること、そして場合によっては、言葉を新たに造り出したり、外来語を取り入れたりする創造性や柔軟性をもつことは、私たちが受け継いでいる〈生ける文化遺産〉としての自然言語の本質的な特徴なのである。

〈やさしい日本語〉は、その重要な意義ゆえに規範化されうる

もちろん、この「新日本語」も〈やさしい日本語〉ではない。しかし、社会的包摂や多文化共生という目的に資する〈やさしい日本語〉は、まさにその素晴らしい特徴のゆえに道徳的・倫理的に推奨され、暗に規範化される可能性も否定できない。すなわち、地域社会やマスメディアなどの公共的な場において、いつも皆ができるだけ用いるべき言語として位置づけられる可能性である。

たとえば常用漢字表は、日本語の学習の容易化という点では明らかに有益である一方で、マスメディアなどでは事実上規範として機能している面がある、ということはすでに見た（一〇〇頁）。常用漢字表はあくまで目安に過ぎないと繰り返し強調されているにもかかわらず、交ぜ書きや平仮名書き等の蔓延といったかたちで、いま現在まで深くその影響を及ぼしているのである。そしてそこには、前節で挙げたいくつかの要因以外に、社会的包摂や多文化共生の観点から表外字の使用を避ける、という意識も働いていると考えられる。

「やさしさ」と「豊かさ」の緊張を維持する必要性

ここまでの論点を踏まえ、私に指摘できるのは以下のことだ。すなわち、私たちが言語を用いて行うことのうち、（A）特定の相手の言わんとすることを最大限に汲み取ろうとしたり、その相手に合わせて嚙み砕いた言葉を発したりする言語実践と、それから、（B）突き詰めた精密な思考や豊かな表現を目指して行われる言語実践、この二種類のものの間には原理的に緊張関係があるということ、そして、この緊張は解くべきではない、ということだ。

（A）の種類の言語実践にあたるのは、典型的には、特定の障害のある人や日本語を母語としない人などを含んだ、多様な人々の間で相互理解を成立させようとするコミュニケーションである。また、小さな子どもの発する「三角い」(二二頁)とか「昔がなくなっちゃう!」(三八頁)といった発話を訂正せずに、その意味を理解しようとしたり、子どもに分かるように物事を説明したりすることも、こちらの実践に含まれる。他方、(B)の種類の言語実践にはたとえば、学会での発表や質疑応答、論文や小説などの執筆、読解といったものの多くが含まれる。

そして、双方の言語実践にはしばしば正反対の規範が成り立つ。たとえば、(A)においては「てにをは」の誤りなどにいちいち目くじらを立てるべきではないが、その姿勢は(B)においては当てはまらないことが多い。そして、私たちは日々の生活のなかで、この二種類の異なる実践を、ときに同時に、また、しばしば相互的な連関の下で、確かに行っているのである。

私たちは、自分たちの言語実践を(A)と(B)のいずれかに統一させるべきではない。たとえば、〈やさしい日本語〉と〈精密コードとしての日本語〉のいずれかを、あらゆる言語実践の規範とすべきではない。そうやって二種類の言語実践の間の緊張を解いてしまえば、いずれかの言語実践の実質が致命的に損なわれ、私たちの社会から多くの重要なものが失われてしまうことになる。

それゆえ、〈やさしい日本語〉の推進に際しては、それが文字通りの意味であまねく行き渡るべきものではなく、あくまでも初期の日本語教育にかかわるものであり、また、地域に住む多様な人々がそこに自らの「居場所」をつくるためのものである、という位置づけが堅持され、その認識が広く一般に共有される必要がある。

ここまで示してきた私の懸念がたんなる杞憂であり続け、〈やさしい日本語〉が適切なかたちで普及することを願っている。

1　庵功雄『やさしい日本語――多文化共生社会へ』、岩波新書、二〇一六年
2　オーウェル『1984』田内志文訳、角川文庫、二〇二一年（原典初刊：一九四九年）

4　対話は流暢でなければならないか

「甘え」と「お約束」の会話の良い面と悪い面

前節一〇八頁で、私たちはしばしば「適当に言っても通じる」という甘えのなかにいる、という点を確認したが、これは必ずしも悪いことではない。たとえば、仲間内でいわゆる若者言葉や業界用語などを多用したおしゃべりに興じたり、お約束の言葉の応酬で笑い合ったりすることは、私たちの生活に欠かせない極めて重要な要素である。その種のコミュニケーションなしに日常は成り立たないと言ってもいい。

しかし、そうした「甘え」や「お約束」がときとして、ものの見方の固定化、思考の閉塞化、仲間外の者の排除といったものにつながっていることも事実だ。

たとえば、ビジネス界隈で「スキーム」や「アグリー」といった業界用語がポンポンと飛び交う場は、自分たちはこれらの言葉を使いこなせる、これらの言葉で会話ができるという、ある種の優越感や仲間意識を醸成する一方で、その外側との壁をつくる作用も及ぼす。また、話している当人たちが皆、実はそれらの業界用語の意味をよく知らないとか、なぜわざわざそれらの言葉を使うのか分からない、ということも珍しくない。そして、そうやって適当な言葉のやりとりをノリで行っているとき、人はしばしば何も考えていない。(同様のことは、ビジネス界隈だけではなく、他のさまざまな業種や集団などにもそのまま当てはまるだろう。)

十把一絡げに語る言葉の危うさ

テンポのよいやりとりに役立つ言葉としては、仲間内の符丁として働く言葉以外にも、一般に通じる常套句、決まり文句、紋切り型の言葉と言われるものを挙げることができる。

たとえばテレビの街頭インタビューで、選挙に行かない理由を尋ねられた人がよく、「誰がなっても変わらない」という類いのことを言うが、これは、候補者間に存在する重要な違いを見ずに即答できる便利な常套句だ。また、「これだからゆとり(世代)は……」とか、「団塊の世代が駄目にした」といった常套句も、実際には多様で複雑な物事を十把一絡げにして語れる便利な言葉だ。そして、この種の言葉を発しておけば、その後は、いわゆる「ゆとり世代」や「団塊の世代」に対する種々のステレオタイプに基づいて、あらかじめストックされている悪口を次々に言い合うことができる。

この最後の点に関して私にとって忘れがたいのは、大学の授業の後にある先生を囲んで皆で飲みに行ったときの出来事だ。そのときは、それぞれの出身県やら出身校やらをめぐって話に花が咲き、「○○県の人ってほんとそういうとこあるよね」とか、「へー、○○高校を出たんだ。あそこのやつってさ……」等々とお互いに盛り上がった。そんな中で先生がふと、「ステレオタイプで話すというのは、何でこんなに楽しいんだろう」とつぶやかれた。それは咎めるようなトーンではなく、実際、その後も県民性などをめぐる会話は続いたのだが、確かに何でこんなに盛り上がるのだろうと我に返って、不思議なような、恐ろしいような気分になったことを、いまでもよく思い出す。

人はステレオタイプから完全に離れて語ることはできないし、そのことを糾弾するつもりもない。しかし、そうした語りが無害ではないことは銘記しておきたい。「○○県民は……」とか「○○校出身者は……」という風に県民性などについて語ることは、「日本人は……」とか「アメリカ人は……」という風に国民性について語ること、さらには、「ユダヤ人は……」とか「黒人は……」という風に民族や人種の特性について語ることと地続きだ。そして、そのように十把一絡げに特定の集団の特性について語ることは、特定の集団を差別し傷つけることにすぐに結びつくか、すでにそうした行為を含んでいる。

「当意即妙さ」「流暢さ」は賞賛されるべきことなのか

滑らかに進行する言葉のやりとりは、あたかも定石に沿って囲碁を打つように、すでに繰り返し踏み均《なら》された会話の道筋を辿っている場合が多い。そして、その整備された道筋は、長く蓄積されたステレオタイプの温床でもある。また、たとえば政治家の討論会において当意即妙に思える受け答えがなされているように見えても、それは往々にして、周到に準備された想定問答や、古来錬成されてきたレトリックや雄弁術の賜物にほかならない。

そもそも、「当意即妙さ」や「流暢さ」というものを、言語実践における美徳としてどこまで賞賛すべきなのか、私たちは一度問い直す必要があるだろう。昨今はテレビなどのマスメディアだけではなく、たとえばSNS上で展開される論争でも、次のような光景がよく見られる。すなわち、相手の主張や批判に対して瞬時に切り返す言葉が「論破」としてもてはやされ、相手がそれに対して間髪容《い》れずに反論しなければ「論破された」と判定される、という光景だ。しかし、後でそのやりとりをゆっくり辿ってみると、「論破した側」はたんに論点をずらして攻撃していただけであり、とても「論争」の名に値するものになっていなかった、ということも少なくない。そこでは、当意即妙の切り返しが示唆するところの（実情はどうであれ）頭の回転の速さや「地頭」なるものの良さが賞賛の対象となり、議論の内容という肝心のものが置き去りにされている。

また、これはテレビなどでお笑い芸人が見せる突っ込みに影響されているのだろうが、日常の会話やプレゼン、スピーチといった場で、誰かが言葉を噛んだり言葉に詰まったりすると、「いま噛んだよね！」などと指摘され、笑いが起こるということが、いつの頃からかよく見られるようになった。噛んで何が悪いのだろうと思うのだが、これもまたひとつの「お約束」となってしまったようである。

話し手と聞き手がともに言葉を待つことの意味

ぺらぺらしゃべれることや、間髪容れずに話を切り返せることとは、必ずしも美徳ではない。むしろ私たちは、秒単位のタイムスタンプが押された言葉がネット上を無数に流れ続けるこの時代だからこそ、言い淀む時間こそを大切にし、言葉をゆっくりと選び取りながら語る実践に意識的に向かうべきではないだろうか。ステレオタイプな言説によって多様な現実をぱっと一括りにして済ませたり、当意即妙な受け答えをすることそれ自体を目的とする実践よりも、現実の難しさや複雑さを受けとめた言葉を慎重に紡ごうとする実践の方を尊重すべきではないだろうか。

ただ、そうした実践には、どうしても時間と労力がかかるという特徴がある。ステレオタイプな言説に頼らずに別の言葉を探すのは、なかなか骨の折れる作業だ。現実をよく見ながら、〈この言葉ではまだしっくりこない〉、〈この言葉では……過ぎる〉と迷いつつ、しっくりくる言葉が訪れるのを待たなければならない。それゆえ、話を聞く方も待たなければならない。お約束通りでない生きた言葉が探され、交わされるには、話し手と聞き手双方の待つ努力が欠かせないのだ。

特に二〇〇〇年代以降にこの国の各所で行われるようになった「哲学対話」や「哲学カフェ」といった活動は、以上のような「時間と労力のかかる実践」の場として捉えることもできるだろう。哲学対話や哲学カフェには、その具体的なやり方に関しては個々にさまざまな違いはあるが、おおよそ次のような点は共通している。[1]

・比較的少人数の人同士が、「「真面目」とは何か」とか「子どもと大人の境目は？」等々の個別のテーマについて、対等な立場で話し合う。

・人を攻撃したり傷つけたりする言葉でなければ、何を言ってもよい。

・発言せずに聞いているだけでもよい。
・他人や本などから得た知識ではなく、自分自身の経験に即して話す。
・人の発言を遮らず、最後まで聞く。
・人の発言の内容を評価したり、強く否定するような態度をとったりしない。

貴重な対話の場を、もっと身近なものに

私自身、新潟大学の教員時代に一度、哲学対話に参加したことがある。そのときの正直な印象は「物足りない」だった。普段の演習や研究会などの場であれば、もっと長い時間をかけて、もっと問題について突き詰めて話し合い、一定の結論が見えてくることもあるのに、哲学対話の場は、これから議論が煮詰まるというところで終わってしまったと感じ、消化不良を覚えたのだ。

しかし、対話を終えたほかの参加者の方々の顔は皆、意外なほど晴れ晴れとしていて、楽しそうだった。たくさんの刺激を受け、自分のものの見方が変わったという感想を述べる方もいた。その様子に触れることで私は、自分がある点でとても恵まれていることに気づいた。つまり、自分は大学の教員という職に就いているので、普段から、自分の話を

――講義の場合は九〇分以上も――人に最後まで聞いてもらえるのだ。たとえば授業中に難しい話題に入り込んだり、話の途中で疑問が生じたりして、言い淀んだり黙り込んでしまったりすることもある。そのようなとき、私は必死で言葉を探して絞り出そうとするのだが、その間も、学生たちはじっと待っていてくれる。大学以外の場も同様だ。メディアの取材などでも、自分が言葉を選び取ろうと四苦八苦している間、記者の方は我慢して待っていてくれる。そのような恵まれた状況に、私はすっかり慣れてしまっていた。(そして、学校の教員は多かれ少なかれ同様の傾向があるのではないだろうか。だから、世の「先生」は披露宴などでのスピーチが長くなりやすく、顰蹙《ひんしゅく》を買いやすい。)

遠慮をしたり、知ったかぶりをせずともよいこと。素朴に思われそうなことでも否定される恐れをもたずに、自分の経験に即して自由に語れること。話している途中で詰まっても、相手が次の言葉を待ってくれること。話を途中で遮られないこと。――こうした機会は、多くの人にとって必要なものであるにもかかわらず、貴重なものになっている。だからこそ哲学対話や哲学カフェは、哲学する場である以前に、安堵と解放と承認の場ともなるのだろう。

したがって、私たちがいま行うべきなのは、そのような場の形成をもっと許容し、促すことだ。お互いが相手を急かさずに、言葉が紡がれるのを忍耐強く待つ実践、そして、相手とともに物事をよく見て、よく考え、しっくりくる表現をともに見つけ出そうとする実践は、哲学対話や哲学カフェ以外にも、本来そこかしこにあってよいはずである。

1　詳しくはたとえば以下の著書を参照してほしい。
・梶谷真司『考えるとはどういうことか――0歳から100歳までの哲学入門』、幻冬舎新書、二〇一八年
・三浦隆宏『活動の奇跡――アーレント政治理論と哲学カフェ』、法政大学出版局、二〇二〇年

5 「批判」なき社会で起こる「炎上」

「批判」を忌避する風潮

言い淀む時間を恐れず、話し手と聞き手がともに言葉を探し、言葉を待つことができる場は、私たちにとって必要だが、しかし、なかなか実現されない貴重な場だ。それゆえ哲学対話や哲学カフェでは、そのような場を意識してつくり出すために、相手の発言を途中で遮る行為や、発言の内容を評価したり否定したりする行為を制限するルールを設定する場合が多い。

ただし、あらゆる対話にそのようなルールを設定すべき、というわけではない。たとえば、相手の話が重要なポイントに差し掛かったり、逆に話が本筋から脱線しつつあるときなどに、そこでいったん話を止めて整理することが有効な場合もあるし、内容に対する的確な批判が対話をより豊かなものにする場合もある。

四年前の二〇一七年六月二三日、参議院議員の今井《いまい》絵理子《えりこ》さんがＳＮＳに、「批判なき選挙、批判なき政治」というスローガンを掲げた投稿を行い、物議を醸す事態となったのはまだ記憶に新しい。

文字通りの意味での「批判なき政治」とは、市民が政府に異を唱えることを許さない全体主義国家の専制政治のようなものだが、おそらく今井さんはそうした意味でこの言葉を用いたのではないだろう。多くの人がすでに指摘しているように、この場合の「批判」は、相手への攻撃や激しい非難といったものを意味していたのだろう。

もしそうであれば、「批判」に対するそのような受けとめ方は、今井さんだけではなく、比較的多くの人々にいま共通していると言えそうだ。たとえば、誰かの行為や考え方などを明らかに批判しているときにも、「正しくない」とか「間違っている」、「よくない」などと言うことが避けられ、「違和感がある」とか「モヤモヤする」、「モヤる」といった言葉が用いられているケースをよく目にする。つまり、「私は誰かや何かを批判しているのではなく、単に違和感やモヤモヤを表明しているだけなのだ」というポーズをとることによって、攻撃ないし非難の色合いをぼかそうとするケースだ。

同調の空気のなかで攻撃や非難と化す「批判」

「批判」にあたる欧語、たとえばドイツ語の Kritik や英語の criticism は、古代ギリシア語の「クリネイン（ふるいにかける、分ける、裁判する）」や、ラテン語の cernere, cret-（区別する、選り分ける）に由来し、否定的な批判だけではなく、事柄を整理して批評することや評論することといった意味も保持している（シップリー英語語源辞典、独和大辞典 第二版）。

たとえば、哲学者カント（一七二四―一八〇四）の主著のタイトルである『純粋理性批判（*Kritik der reinen Vernunft*）』は、理性能力のある種の限界をよく吟味して画定する、といった意味であって、「批判」ということで単純な攻撃や非難といったものを指しているわけではない。また、日本語の「批判」も元々は、批評して判断することや、物事を判定・評価すること、良し悪しや可否について論ずることなどを意味していた（日本国語大辞典 第二版）。

しかし、いつの頃からか、「批判」がこの国で常に否定的なニュアンスを帯びるようになったのも確かだ。この言葉をめぐる現在の状況は、その傾向がさらに強まり、極端になった結果だとも解釈できる。

日本の社会は同調圧力が強く、空気を読むことが推奨される風潮が強い、とはよく指摘されるところだが、確かに、批判的検討が必要な場面でも、相互的な「甘え」や「お約束」がその場のコミュニケーションを覆ってしまうケースがあまりに多い。和を少しでも乱す言葉――批判（批評、吟味）的な要素のある言葉――に皆が敏感になり、その場のノリに合わない言葉を発しづらくなるケースだ。（哲学対話や哲学カフェは、そのような状況を避けて、まずもって皆が自分自身の考えを自由に発言できる場をつくる営みだと言える。言葉に対する批判は、その種の場があってはじめて有効なものだ。）

ましで、そうした同調の空気が支配するケースでは、相手の主張に対して明確に否定的な意見や疑問を向けることは強く憚《はばか》られるようになる。言うなれば、互いにうなずき合う同調的な言葉の空間と、その空間全体に向けられる容赦のない厳しい言葉、その中間領域が存在しなくなるのだ。この種の状況がコミュニケーションの多くを占めてしまえば、「批判」の言葉はますます刺々《とげとげ》しく、敵意をもったものとしてのみ機能するようになる。「批判」が相手への攻撃として捉えられがちな現状には、以上のような背景があるのではないだろうか。

「炎上」という言葉ですべてを塗り潰す前に

同調と攻撃の間の中間領域が確保されにくく、「批判」という言葉が本来含んでいた「内容の吟味」、「物事に対する批評や判断」、「良し悪しや可否をめぐる議論と評価」といったものがおろそかになりがちな現状は、「炎上」という言葉の現在の用法にも通じているように思われる。

「炎上」はいま、各種のメディアで発信された誰か（特に有名人や公人）の言動に対して、ネット上で非難や誹謗中傷が殺到することを指す言葉ともなっている。問題は、当該の言動が筋の通ったものや正当なものであろうとも、逆に、筋の通らないものや不当なものであろうとも、どれも等し並みに「炎上」と呼ばれる、ということだ。ある差別を告発する勇気ある発言をターゲットに、差別主義者たちが罵詈雑言を集中させることも「炎上」と呼ばれるし、とても看過できない酷い差別発言に対して、その問題を指摘する真っ当な声が多く寄せられることも、同様に「炎上」と呼ばれる。そして、何であれ炎上してフォロワーが増えて良かった、チャンネルの登録者数やオンラインサロンの会員が増えて良かった、ということも平然と言われたりする。そこでは、火の手の大きさや、それに伴う熱量の多さが、物事の真偽や正否や善悪に取って代わってしまっている。

マスメディアで頻繁に用いられている「賛否の声が上がっている」という類いの常套句も、問題になっている事柄の内容をさしあたり度外視して、熱量の上昇のみに言及できる便利な言葉だ。どちらかの道理に明らかに分がある場合にも、また、賛否どちらかの声の方が圧倒的に優勢である場合にも、「賛否の声が……」と表現しておけば、旗色を鮮明にせずに済むし、自分の言葉に責任をもつ必要もなくなる、というわけだ。

「炎上している」とか「賛否の声が上がっている」といった言葉によって物事をひとまとめにしてしまうのではなく、具体的な内容を「批判」する行為が、メディアでもそれ以外の場でも、もっと広範になされる必要がある。そして繰り返すならば、それは必ずしも否定的な行為だとは限らない。賛意を示すのであれ、あるいは難点を指摘するのであれ、人々がともに問題を整理し、吟味し、理解を深め合っている場こそ、本来の意味で「批判」が行われている、建設的な議論の場なのである。

批判を実践するために必要なこと

とはいえ、非難や攻撃とは違って、批判は決して簡単な行為ではなく、私自身も日々試行錯誤しているというのが実情だ。どうすれば的を射た批判を展開できるのかという以前に、相手との人間関係がネックになることも多い。というのも、批判をすれば、多少なりとも相手の気分を害したり傷つけたりすることは避けられないからである。だとすれば、批判は具体的にどう行うべきだろうか。

　批判する際には言い方に気をつける、というのはシンプルだが、しかし、まずもって重要なポイントだろう。たとえ有益な内容の指摘であっても、不必要にきつい言葉や口調で語られては、感情的にとても受け入れられなくなる。

　また、内容という面でまずい批判の典型は、相手の言葉尻だけを捕らえて自分の土俵（自分の専門分野、自分の経験など）に引きずり込み、その土俵上で相手を説き伏せる、というものだ。たとえば、「あなたはいま「無意識に……」と仰ったが、認知科学的には「無意識」とはこれこれこういうものであるから、「無意識」の問題として捉えるのは不適当だ」という風にして切り捨てるだけでは、相手がひどく気分を害するのも当然だ。そして何より、こうしたやりとりでは、問題に対して互いに理解を深め合うことも、別の見方を知ったり新しい見方を生み出したりすることも難しい。

　逆に言えば、重要なのは相手の表現を尊重するということだ。具体的には、相手の言葉を十分なかたちで拾い上げ、それがどのような脈絡の下で発せられたのかをきちんと踏まえたうえで応答する、ということが必要だろう。批判を受ける側も、自分の言わんとすることをちゃんと聞いてもらい、それをよく理解してもらったうえで、納得できる問題点を指摘されるのであれば、苦い思いをしたり、多少傷つく部分はあるとしても、感謝する部分の方が多いだろう。(これは実際、私が学術的な論文を書いたり発表を行ったりした際に、さまざまな批判を受ける経験を重ねる中で実感していることでもある。)

また、批判を行う側にとっても、相手の言葉によく耳を傾け、それをよく理解しようと努めることは、自分には見えていないものの見方や馴染みのない考え方に触れ、学ぶ機会になる。そしてそれは、問題に対する理解を深め、解決の道を探る大事な手掛かりになりうるのである。

批判は、相手を言い負かす攻撃の類いではない。繰り返すなら、批判は相手と、と、も、に問題を整理し、吟味し、理解を深め合うために行われるべきものだ。それゆえ、批判は、相手に真っ向から向き合うというよりも、言うなれば、お互いに少し斜めを向き、同じものを見つめ、そのものの様子や意味について語り合う、というイメージで捉える方が適当だろう。

そして、そのような場が成り立つための大前提として、私たちは自分の言葉に責任をもたなければならない。私たちが臆面もなく、「さっきの言葉はそういう意味で言ったんじゃない」といった言い抜けを繰り返したり、口に出した言葉を取り消そうとしたりするのであれば、〈相手が発した言葉を真面目に受けとめ、よく理解しようと努める〉という営み自体が不可能になってしまうからだ。

6 「なぜそれをしたのか」という質問に答える責任

意図的行為とは何か

表現と対話の場を確保するということに関して、少し違う角度からも考えてみよう。

たとえば、私が間違って友人の足を踏んでしまったとする。慌てて謝ると、友人は怒った調子で、「なんで踏んだの？」と言う。そう聞かれても、わざと踏んだわけではないのだから、積極的な理由はない。せいぜいのところ、友人の足を踏んでしまった原因を——「ぼうっとしていて……」とか、「躓《つまず》いちゃって思わず……」といったことを——答えるしかない。

他方で、意図的に何かをした場合には、その理由を聞かれて応答するという実践は本質的に重要な意味をもつ。実際、現代を代表する哲学者のひとりG・E・M・アンスコム（一九一九―二〇〇一）は主著『インテンション』[1]のなかで、次のような定義を示している。

意図的行為とは、ある意味で用いられる「なぜ？」という問いが受け入れられるような行為のことである。（同書一七頁　※原文を基に一部改訳）

たとえば、交差点で見かけた友人A氏が手をあげていたとしよう。私はA氏に近づいていって、「なぜ手をあげてるの？」と尋ねる。A氏は、「道の向こうにいるあの人に挨拶しようと思ったからだよ」と答えるかもしれない。あるいは、止まったタクシーに乗り込みながら、「タクシーを拾うためだよ」と答えるかもしれない。あるいはまた、「肩がだるかったから、ちょっとほぐそうと思って」とか、「ただなんとなく、癖で」などと答えるかもしれない。いずれにせよ、当該の振る舞いが自分の意志で行った行為なのであれば、A氏は「なぜ？」という問いに対してまともな理由を説明することができるはずだ。

「なぜそれをしたのか」という問いに答えられないとき

この点を明確にするために、「なぜ手をあげたのか」という問いに対してまともな理由の説明が与えられない場合を考えてみよう。たとえば、A氏が「ピラミッドに登りたかったからだ」と答えたとしたらどうだろうか。ピラミッドに登ろうと思ったから手をあげた、というのはまさに意味不明であり、理由になっていない。A氏にもっと詳しく話を聞けば、手をあげることがピラミッドに登ることにどう結びつくのかが明らかになるかもしれない。しかし、そうした詳しい追加の説明が与えられないのであれば、そして、A氏が私をからかっているのではなく本気で言っているのであれば、私は、A氏がそもそも健常な精神状態にあるかどうかを疑うかもしれない。

このように、意図的行為というものは、「なぜそれをしたのか」という問いに対し、（場合によっては「ただ何となくやった」という説明も含めて）何らかのまともな説明が与えられうる場合にはじめて、それとして理解可能なものになる。もしも、行為者がまともな理由の説明を一切与えることができないとしたら、当該の振る舞いはそもそも意図的行為とすら見なされなくなる。それゆえアンスコムは、「なぜ?」という問いが受け入れられるような行為——この問いがきちんと機能しうるような行為——を、意図的行為の定義として示したのだろう。

意図的行為と責任の結びつき

そして、以上のポイントに絡んで重要なのは、そうした説明の可能性（能力）および説明の内容が、意図的行為の責任というものに本質的に結びついているということだ。

まず、自分が意図的にしたこと（あるいは、すること）に対して何らかの責任を負うためには、当たり前だが、当該の行為がそもそも意図的行為としての要件を満たしている必要がある。つまり、行為主体が責任主体でもあるためには、「なぜ？」という問いに対してまともに応答できなければならない、ということだ。そして、当該の主体が具体的に負う責任の内容は、まさにその応答の内容によって基本的に輪郭づけられるのである。（ここで私たちは、「責任」にあたる英語の言葉が、応答・説明の可能性ないし能力を原義とするresponsibility や accountability である次第を思い返すことができるだろう。）

とはいえ、意図的行為に常に責任が伴うわけではない。たとえば、店の従業員が強盗に刃物で脅され、仕方なく金庫を開けるとしよう。この行為は、命を懸けて逆らうという選択肢も一応あったという意味では意図的行為だと言えるが、店の被害の責任をその従業員が負うことはまずないだろう。

あるいは、小さな子どもが壁にクレヨンで絵を描く、という例も考えてみよう。これも紛れもなく意図的行為だが、やはり責任を問われはしないだろう。私たち大人は、いずれ子どもが成長して、自分のした行為の意味を十分に理解し、責任をもてるようになることを望む。そして、こう諭すようになる。「なんでそんなことをしたの！　ごまかさないでちゃんと言いなさい」と。

それから、応答の可能性があったとしても、必ずしも実際に応答する義務を同時に負うわけではない。たとえば、行為の理由を説明することが職務上の秘密を漏らすことになる場合や、多くの人々の生命や財産を脅かすことになる場合などには、応答を拒否することも正当化されうる。また、病気や障害などによって、行為者当人には理由の説明ができない場合もあるだろう。そしてその場合には、他者による代弁の必要性や、代弁の方法、内容などに関して、ときに慎重な検討が求められるだろう。

自由で民主的な社会の基盤として

しかし、少なくとも自由で民主的な社会において、人が為政者として責任をもって行うべき意図的行為（政治的決定など）に関しては、応答可能性だけではなく、実際に応答する義務が必ず伴われる。すなわち、「なぜそれをしたのか」――あるいは、「なぜそれをするのか」――と聞かれたら、それに対してまともなかたちで答えられるのでなければ、その行為に関して自分が負うべき責任の内容も、責任の有無自体も明らかにできず、それゆえその行為は社会において正当化されない。もっとも、応答には「理由は説明できない」というものも含まれうるが、その場合、理由を説明できないことの理由をまともに説明できなければ、やはり当該の行為は正当性を失う。

他方で、単独者や少数者が自分（たち）の意志のみに基づいて独断的に政治的決定を行うような、不自由で非民主的な社会においては、為政者はみずからの行為の理由を説明する必要はない。そして、本人が何も言わずとも、周囲の人間や民衆がしばしば忖度《そんたく》して理由を推し量り、代弁してくれる。専制的な社会の特徴のひとつは、そのように、「なぜ？」に応答する義務を為政者自身が免れ、自分の行為に対して無責任であり続けることができる、という点にあるのだ。

二〇二〇年十月五日、菅義偉《すがよしひで》首相（当時）は、日本学術会議が推薦した新会員候補六名を任命しなかった理由を尋ねられると、「総合的・俯瞰的活動を確保する観点から判断した」という空虚な言葉を並べるのみで、何も説明しなかった。その後、〈会員の構成の偏りを正し、多様性を重視する〉という旨の「説明」が付け加えられもしたが、どこがどう偏っているのかの説明はなく、具体的になぜ当該の六名を任命しなかったかという肝心の理由も説明されないまま、およそ一年後に首相は職を辞した。したがって、紛れもなく専制政治が行われた——そして、後任の首相も同様であれば、専制政治が続く——と言わざるをえない。非常に残念なことだ。

これは、「日本学術会議には組織としてかくかくしかじかの問題がある」とか、「その六名はかくかくしかじかの点で任命されるべきでない」とか、あるいは「学問の自由は、かくかくしかじかの事柄に関しては制限されるべきだ」といったこととは、全く独立の話である。もしもそのような理由があるのだとしたら、まさに件の決定を下した当人の口からそれが説明されなければならない（そうでなければ専制政治になってしまう）という、ごく基本的な話にほかならない。

理由をめぐる応答の場を確保する責任

理由を問い、それに答える、という対話の場が確保されていることは、私たちの社会にとって決定的に重要である。為政者による理由の説明の拒否を市民が許すことは、自由と主権をみずから手放すことに直結する。逆に言えば、私たちが専制的な社会を望まないのであれば、常に為政者に対して応答の義務を課し、それを果たすよう求めなければならないということだ。

たとえば、為政者に「なぜ？」と直接問うことができる政治家やジャーナリストなどは、為政者から理由の説明が返ってこない場合、そのことを批判しなければならない。また、応答がまともな理由の説明になっていない場合にも、やはりそのつど批判しなければならない。応答を拒否したりはぐらかしたりし続ける為政者に対して、執拗に理由の説明を求めて何度でも聞き返し続ける者が現れれば、私たちはその者を支えなければならない。たとえ私たちが「その者」自身にはなれないとしても、そうしたやりとりに飽きてはいけない。為政者から説明が与えられないことに慣れてはいけない。それが、私たちが自由で民主的な社会を望むかぎり果たすべき最低限の責任である。

1　Anscombe, G. E. M, *Intention*, Basil Blackwell, 1957（アンスコム『インテンション――実践知の考察』、訳・菅豊彦、産業図書、一九八四年）

7 「すみません」ではすまない――認識の表明と約束としての謝罪

謝罪するとは何をすることなのか

謝罪する、ということを子どもに教えるのは難しい。何か悪さをした子どもを叱りながら、「そういうときは「ごめんなさい」と言うんだよ」と教えることを繰り返す。すると、子どもはやがて、「ごめんなさい」と言うことはできるようになる。けれども今度は、場を取り繕おうと「ごめんなさい、ごめんなさい……」と言い続けたり、「もう「ごめんなさい」と言ったよ！」と逆ギレをし始めたりする。

「違う違う！　ただ「ごめんなさい」と言えばいいってもんじゃないんだよ」――そう言った後の説明が本当に難しい。謝罪というのは必ずしも、たんに「ごめんなさい」と言ったり頭を下げたりしただけでは終わらない。「すみません」ではすまないのだ。では、どうすれば謝ったことになるのだろうか。声や態度に出すだけではなく、ちゃんと申し訳ないと思うことだろうか。しかし、「申し訳ないと思う」とはどういうことなのだろうか。

そして、思うだけで果たしてよいのだろうか。結局のところ、「謝る」とは何をすることなのだろうか。

謝罪になっていない「お約束」の言葉たち

たとえば、電車で立っていてふらつき、隣の人の足を思わずちょっと踏んでしまった、といったケースでは、すぐに「すみません」とか「ごめんなさい」と言えばすむ場合が大半だろう。踏まれた相手もなぜそう言われたのかを了解しているし、普通は、その一言をもらえれば十分だと思うはずだ。（むしろ、土下座までされたら気味悪く思うだろう。）

問題なのは、それではすまないことをやってしまったケースだ。たとえば、有名人が舌禍事件を起こして、謝罪会見を行ったり謝罪コメントを発表したりするとしよう。その際に皆の顰蹙を買いがちな物言いの典型は、「私の発言が誤解を招いたのであれば申し訳ない」といったものだ。というのも、これでは、「皆さんが意味を誤解しただけであって、私は非難されるべきことを言ったつもりはない」と弁解していることになるからだ。

また、「ご心配をおかけして申し訳ございません」とか「ご不快な思いをさせて申し訳ございません」という言葉もよく用いられるが、これもまるで、謝るべきは心配をかけたことや不快な思いをさせたことであって、自分のした罪や過ちではない、と言っているように聞こえる。たとえば、交通事故の後に当て逃げをした人物が、謝罪会見の場で「皆さまに不快な思いをさせて……」と言ったとすれば、その人物は自分が法や道徳にもとることをしたことや、被害者を傷つけたことなどを謝っているのではないという風に、多くの人が受けとめるだろう。

謝罪の言葉として悪名高い常套句はほかにも色々とある。たとえば、非難されるべきことをなぜしたのかと問われた際の、「自分の弱さで……」とか「私の未熟さによって……」といった言葉、あるいは、「私の不徳の致すところで……」という類いの言葉だ。こうした常套句はどれも、自分がなぜそれをしたのかについての具体的な説明を拒否するものであり、かつ、自分のしたことが主体的で意図的なものであったことを否定するニュアンスを帯びている。つまり、自分がそのとき気持ちを強くもてたり、成熟していたり、徳をちゃんと備えてさえいれば、そんなことを敢えて自分からしようなどとは思わなかったはずだ。自分の性状に流されて、どうしようもなくやってしまったんだ——そういう言い訳のニュアンスである。

謝罪とは、当該の出来事に対する自分の認識を明らかにすること

以上のような「お約束」の言葉たちから逆に見えてくるのは、謝罪が謝罪であるために必要な本質的特徴だ。それは、「謝る」というのはまずもって、当該の出来事をいま自分がどういうものとして認識しているのかを表明することである、ということだ。（しかもその際には暗に、当該の認識が、謝罪する相手や世間の認識とおおよそ合致していることが期待されているとも言える。）

たとえば先述の、電車内でふらついて人の足をちょっと踏んでしまうケースにおいて、「すみません」と言うことは、私があなたの足を踏んでしまったのであり、悪いことをしたと認識している、ということを、端的に相手に伝える言葉になっている。

逆に、たとえば性的マイノリティに対する酷い差別発言をした人物が、謝罪の場で「誤解を招いたのであれば……」と言うとすれば、差別発言だと捉えているのは皆さんの方であり、自分の発言が差別行為であったとは認識していない、と表明していることになる。

同様に、「不快な思いをさせて……」とか、あるいは「私の未熟さゆえに……」などと言うとすれば、その人物は、自分の行為の問題はたんに誰彼に不快な思いをさせた点に過ぎ

ないと認識していることや、自分が未熟なために行為の意味を十分に理解していなかったことを示唆している、と見なされるだろう。

もっとも、そうした釈明で皆の納得を得られるケースもありうる。たとえば、問題の発言をしたのがまだ幼い少年で、本当にその言葉の意味を分かっていなかったと皆が認めるケースなどだ。しかし、発言の主が十分に年を重ねた大人であったり、普段から性差別的な言動を繰り返していたりしたならば、たんにごまかしの言い訳を並べていると判断されるだろう。

いずれにせよ、謝罪がまさに当該の差別行為の謝罪であるためには、自分が確かにかくかくのことを行い、それにはしかじかの意味があり、これこれの点で問題のある悪い行為であった、という認識を明らかにすることが欠かせない。謝罪の弁を聞く者は、まずもって当人の認識の如何《いかん》を問うているのである。

謝罪とは、認識の表明を踏まえて、自分がこれから何をするか約束すること

ただ、それだけでは謝罪として十分ではない。たとえば、口先だけなら何とでも言えるから、本当にそう思っているかどうか分からない、という疑念が周囲から湧くこともしば

しばある。

それゆえ、長く頭を下げ続けるとか、土下座するとか、涙を流すといった態度が、本当にそう思っていることの印として示される場合もある。ただ、当然それらの態度もフリでありうる以上、本当にそう思っていることを究極的に証し立てるものにはならない。

そしてこのことは、謝罪というものを構成する、もうひとつの主要な特徴に結びついている。それは、謝罪は儀式ではないということだ。謝罪は多くの場合、自分が何をしたのかを説明し、それが悪いことだったと認める所作を行うだけで終わるのではなく、むしろそこから始まる。それだけで常に謝罪を謝罪として完成させるような、そうした魔法の言葉や態度などは存在しない。軽微なケースを除けば、謝罪の言葉を発したり頭を下げたりすることは、謝罪のスタートライン、謝罪という実践のはじまりに過ぎないのである。

実際、私たちは普通、謝罪の言葉や態度の後に当人が何をするかによって、当人が本当のところどう思っているかを判断する。簡単な例では、謝罪した直後に人目につかない場所でげらげら笑っていたりした場合には、あの謝罪は本心からではなかった、と見なされるだろう。

「本心」そのものはどこまでも不確かでありうるからこそ、人はしばしば、当該の出来事を自分はかくかくのように認識した以上、これからしかじかのことをすると約束し、それを実行することによって、本心そのものの証明の代わりとする。たとえば、自己を処罰するという約束。相手の溜飲を下げる何らかの行為をするという約束。生じた損害を賠償する約束。手紙を出し続けることなどによって、出来事を忘れずに反芻し続けるという誓い。人を殺《あや》めてしまった場合の、その人の墓前にずっと花を供え続けるという誓い。麻薬に手を出した場合の、もう二度と手を出さないという誓い、等々。

そして、そのような約束の内容の多くは、自分がしてしまったこと（＝謝罪すべき自分の行為）によって損なわれたものや失われたものを何らかのかたちで埋め合わせる――その意味で責任をとる――という意味合いをもつ。たとえば、損なわれた相手の気持ちを晴らすとか、物的損失に対して補償を行うといったことである。

もちろん、この場合の「埋め合わせる」――償《つぐな》う、贖《あがな》う――というのは、文字通りの意味で「元通りにする」ということではない。とりわけ、人の思い出の品を壊したり、生き物の命を奪ったりした場合などには、その損失を埋め合わせることなど不可能だ。それでも、自分がしてしまったことを後悔し、責任を感じている人であれば、どうにかして「償い」に相当する行為を行おうとする。埋め合わせられないものを埋め合わせようとするかのように、場合によっては自分が死ぬまで「償う」ことを続けるのである。

「謝罪はいつ完了するのか」という難しい問題

土下座のような、一般にきわめて屈辱的と見なされる行為は、そうした「償う」行為のうち、まさに自己処罰や、相手の溜飲を下げる行為に当てはまるだろう。そして、謝罪の言葉とともに土下座をし、それが相手や周囲に受け入れられて許される場合には、謝罪はいわば最速に近いかたちで完了すると言える。しかし、土下座がいつも誰に対しても効力を発揮するわけではないし、むしろそのような振る舞いがひどく嫌悪される場合もある。繰り返すように、常に謝罪をそれだけで完了させる魔法の言葉や態度など存在しないのだ。

つまり、土下座のような極端な行為であっても、「謝ったんだから、もうそれでいいだろう」とは必ずしもならず、むしろ、軽微でないケースでは通常、長く継続的な行為の履行を約束する言葉を、謝罪の一環として提示することが求められる。そして、その約束が履行されなかったり、途中で破られたりすれば、「謝罪は嘘だった」とか「謝罪が十分ではなかった」などと評価されることになるのである。

さらに言えば、自分で勝手に約束してそれを果たすだけでは、謝罪が終わったとは必ずしも見なされない。謝罪はいつ、どうやって完了するのか、というのは実に難しい問題だ。たとえば、謝罪の終わりは「許される（赦される）」ということと深く結びついていると思われる。しかし人は、決して許されなくとも謝り続けることもあれば、逆に、謝罪がなくとも許されることもある。謝罪と許しの関係を、私たちはどう考えればよいのだろうか。――こうした、より踏み込んだ問題の検討にはかなりの紙幅を要するから、これ以上は本書とは別の機会に譲ることにしよう。

謝罪もまた、対話の実践の一環である

ともあれ、以上のことから、謝罪とはある種の認識の表明と約束の実践として、さしあたりは特徴づけることができそうだ。すなわち、（1）当該の出来事をいま自分がどういうものとして認識しているのかを表明し、（2）その認識の帰結として、自分がこれから何をするかを約束する（そしてそれを実行していく）、という一連の実践である。そして、そうだとすれば、子どもに対して謝罪とは何かを教えることとは、たんに「ごめんなさい」と言わせることではなく、〈自分が何をしてしまったのか〉ということ、そして、〈それをしてしまった者として、自分がこれから何をするのか〉ということを、子どもが徐々

にでも自分で表現できるように促し、また、大人もそれに応えることだと結論づけられるのではないだろうか。

本節で確認したのは、謝罪は一方的な行為や儀式ではないということだ。他の多くの実践と同じく、謝罪もまた、多くの場合、言葉が織り込まれた対話の実践にほかならない。そして同様のことは、感謝や賞賛といった、もっと明るい実践についても当てはまるだろう。

第三章

新しい言葉の奔流のなかで

1 「○○感」という言葉がぼやかすもの

「痛税感を和らげる」「スピード感をもって進めていく」

「○○感」という言葉が、いつから猛威を振るうようになったのだろう。

たとえば、二〇一九年に行われた消費税率の引き上げに絡んで、政府やマスメディア、経済団体などから、「痛税感を和らげる」という類いの言い回しが盛んに発信された。これに対して、なぜ「感」なのかと憤った人も多いだろう。これではまるで、増税による負担の増加が事実ではなく、個人の主観の問題に過ぎないかのようにも聞こえる。

もちろん、税率の上昇や、新たな種類の税の導入といったものが、人々が納税を負担に感じる度合いを過度に高めている、といった状況はありうる。ただ、そうした場合にも、そのような「痛税感」は本来、納税による恩恵や納税の必要性について得心がいく政策が行われることで、また、そうした政策が十分に納税者に説明され、理解されることで、はじめて和らぐべきものだ。逆に、一時的な減税や期間限定のポイント還元、価格の税込み表示の義務化といった小手先の手段ばかりでは、納税者の負担増を「感じ方」の問題に矮小化しているという批判が向けられるのは避けられないだろう。

また、「スピード感をもって進めていく」という言い回しも、最近は各所でよく聞かれるものであり、もはや常套句と化している。しかし、これもなぜ「感」なのだろうか。なぜシンプルに「素早く」「迅速に」と言わないのだろうか。

粛々と迅速に実行するだけではなく、その気持ちや姿勢を意識して周囲と共有することも大事なのだ、といった含意があるのかもしれない。しかしやはり、「迅速に進める」と明確には言い切らない、責任逃れの姿勢が見え隠れする。あくまでも「スピード感」なのだから、実際には迅速に進められていなくとも嘘は言っていない、というわけだ。

やってる感を演出する同様の言い回しとしては、「警戒感をもってあたる」という表現も多用されている。そう言っておけば、「警戒する」ということに該当する行動を具体的に何もせずとも、自分の言葉に責任をもたずに済む。つまり、これまで通りのことでも警戒感を込めて行ったのだと言い張れる以上、嘘を言ったことにはならないということだ。

明言を避け、責任を回避する姿勢

このように、どこか明言を避けてぼやかす姿勢、言質を与えず責任を回避する姿勢こそが、「○○感」という言葉がいま氾濫を起こしている大きな要因だろう。

実際、いま日常のさまざまな場面で、「そこはよくなった感あるよね」とか、「あれは無理してる感がする」といった類いの言い回しがよく耳に入ってくる。「よくなった」とは言い切らず、「無理してる」とは断言しない、曖昧な言い方だ。

そこには、正確で慎重な判断を行おうとする姿勢や、他者を傷つけまいとする配慮が働いている、などと見なすこともできる。とはいえ、そうした「美徳」も、人々が自分の言葉に対して責任を取らず、実態を有耶無耶にしてしまう傾向があまりに蔓延してしまえば、その値打ちを失うだろう。

2　「抜け感」「温度感」「規模感」──「○○感」の独特の面白さと危うさ

「抜け感」と「いき」の共通点

前節で見たように、「○○感」というのは、責任逃れのために多用されがちな言葉だ。ただし、なかには、そうした否定的な面だけでは尽くされない奥行きをもち、独特の趣《おもむき》を備えた言葉も見出すことができる。

たとえば、ファッションの分野などでいま頻出している言葉に、「抜け感」というものがある。かっちりときめ過ぎず、部分的にわざと隙を──つまり、抜けを──つくることで生み出される、堅苦しくもなく野暮でもない雰囲気のことだ。シックでスタイリッシュな服に対してカジュアルな靴や小物などを合わせたり、ボタンを少し外したり、襟足《えりあし》や足首などを少し見せたり、といった具合である。

このような意味をもつ「抜け感」は、実は、かつて哲学者の九鬼周造《くきしゅうぞう》（一八八八―一九四一）が「いき（粋）」という言葉で言い表そうとしたものに非常によく似ている。

「いきな人」とか「いきなはからい」という風に用いられるこの言葉は、辞書を引くと、「色気がある」、「艶っぽい」、「垢抜けている」、「人情の機微に通じている」、「気っ風がいい」、「さっぱりしている」、「洗練されている」といったことを意味すると説明されている（日本国語大辞典 第二版、広辞苑 第七版、等）。

九鬼自身は著書『「いき」の構造』[1]において、「いき」という言葉を「媚態《びたい》」、「意気地」、「諦め」という三つの側面に大別したうえで、それぞれの側面の具体的な内実や相互的な関係について詳しく分析を進めている。そのなかには衣服の着こなしをめぐる記述も多く見られるが、たとえば、和服の後襟（衣紋《えもん》）を引き下げて襟足が見えるように着ること――いわゆる「抜き衣紋」――について、彼は次のように綴っている。

なお「いき」なものとしては抜き衣紋が江戸時代から屋敷方以外で一般に流行した。襟足を見せるところに媚態がある。……この抜き衣紋が「いき」の表現となる理由は、衣紋の平衡を軽く崩し、異性に対して肌への通路をほのかに暗示する点に存している。

また、西洋のデコルテのように、肩から胸部と背部との一帯を露出する野暮に陥らないところは、抜き衣紋の「いき」としての味があるのである。(『「いき」の構造』九九頁)

もうひとつ、全身を着物で包みつつ、足だけ足袋《たび》ではなく素足にする、という着こなしについて九鬼が言及している箇所を抜き出してみよう。

素足もまた「いき」の表現となる場合がある。「素足も、野暮な足袋《たび》ほしき、寒さもつらや」と云《い》いながら、江戸芸者は冬も素足を習《ならい》とした。粋者《すいしゃ》の間にはそれを真似て足袋を履かない者も多かったという。着物に包んだ全身に対して足だけを露出させるのは、確かに媚態の二元性を表わしている。しかし、この着物と素足との関係は、全身を裸にして足だけに靴下または靴を履く西洋風の露骨さと反対の方向を採っている。そこにまた素足の「いき」たる所以《ゆえん》がある。(同書一〇一―一〇二頁)

九鬼がここで言う「媚態の二元性」とは、人が人に恋をしているときがまさにそうであるように、自己が他者を意識してそこに極限まで近づきつつ、それでも一つにはならないことを指している。このつかず離れずの二元性に、「意気地」や「諦め」といった要素も絡み合いつつ、「いき」という概念が成り立っている——そう九鬼は説くわけだが、ともあれ、そのような微妙な感覚を摑まえようとする姿勢は、九鬼の見出す「いき」にも、それから現在の「抜け感」にも深く共通していると言えるだろう。すなわち、手堅く隙のない自己完結したあり方に徹することなく、かといって、相手に完全に媚び、しなだれかかる崩し方にも陥らないような、そうした繊細なバランス感覚である。

問題を誤魔化すニュアンスも

「○○感」という言葉に関しては、ほかに、「温度感」なる言葉も興味深い。たとえば、「彼はこの差別問題の温度感が分かっていない」という風に言われる場合には、おおよそ次のようなニュアンスが含まれるだろう。彼は当該の差別が問題であることを、少なくとも頭では理解しており、問題の解決を求める声に賛意を示したりもするだろう。しかし、いま問題がどれほど切迫しているか、当事者の間でどれほど意識が高まっているか、差別に遭っている人が実際にどれほど強く怒り、苦しんでいるか、といったことを、いわば肌身に感じて理解してはいない。彼にとってこの問題は、どこか遠い、他人事のようなものに留まっている、と。

つまり、「温度感」という言葉は、ある物事に関する気運や意識の高まり、深刻さや真剣さの程度といったものを指し、特に、当該の物事に向き合う人がそれらをどれだけ感じ取れているかを焦点化する言葉として、しばしば用いられていると言える。

微妙なのは、「規模感」という言葉だ。企業や官庁などで現在この言葉がよく行き交っているが、単に「規模」と言えばよいものを、なんとなく曖昧さに逃げるために「感」をつけているケースが多い。

ただし、たとえば「規模感を摑む」といった表現には、経験や勘に基づく直観的な把握を表すような、独特のニュアンスが含まれていることもある。それこそ、飲み会の「規模感を摑む」ことに長《た》けた幹事は、事前にいちいち詳しいアンケートをとったりしなくとも、次の飲み会におおよそどれくらいの人数が集まるか、どのような会場を予約すべきか、会費をどれほど徴収すべきかといった塩梅《あんばい》を、ほどよいところに設定できる。どうして分かるのかを明確に根拠づけて説明することはできないが、それでも、手練れの幹事には飲み会の「規模感」が何となく摑めるのである。

総じて、「○○感」とは、いわく言いがたい感覚やセンスなどに関係する言葉であり、そして、そうであるがゆえに、ことがらを不明瞭にし、問題を誤魔化すためにも利用される。たとえば、先の「温度感」も、ビジネスの現場で「クライアントの温度感が高い」とか、「うちの部署の温度感は低い」などと言われる際には、言葉や数値には表れない重要な感覚的・感情的要素に注目しているケースもあるだろう。しかし他のケースでは、あり合わせの便利な言葉として、特に考えなしに用いられていることも多いだろう。本来であれば、なぜクライアントが乗り気になっているのか、なぜうちの部署の気運が停滞しているのかについて、しっかりと分析を行い、その判断を言葉にすることが重要であるのに、とりあえず「感じ」や「気持ち」の問題にして安易に片づけてしまう、という具合だ。

言葉が悪いのではない。自分の言葉に責任を負わず、曖昧な言葉の陰に隠れることが問題なのである。

1　九鬼周造『「いき」の構造』、講談社学術文庫、二〇〇三年（初刊：一九三〇年）

3 「メリット」にあって「利点」にないもの
——生活に浸透するカタカナ語

氾濫するカタカナ語

日本語の表記体系は、表意文字である漢字と表音文字である平仮名・カタカナのハイブリッドであり、欧米など他言語の言葉をカタカナに変換してすぐに導入できる特徴を有している。この便利さもあってか、現在の日本語のコミュニケーションにおいてはカタカナ表記の外来語があまりに多く使用されており、もはや氾濫を起こしている——カタカナ語についてよく耳にする指摘だ。

確かに、たとえばビジネス界隈では、「クライアント」、「スキーム」、「アグリー」、「アジェンダ」等々、無数のカタカナ語が飛び交っているが、自分で使っておきながら実際のところ意味はよく分かっていないとか、なぜ「顧客」や「枠組み」などの従来の日本語を使わないのか理解できない、という人は少なくない。にもかかわらず、これらのカタカナ語の使用が止《や》まないのは、重苦しい感じがしないとか、逆にお洒落でかっこいい感じがするといった理由も多分にあるだろうし、また、職場・職種への帰属意識やエリート意識を互いに高め合う一種の符丁として働いている部分や、新入りに対するマウンティングの手段として働いている部分などもあるだろう。(これに関連する点は、すでに一〇八頁や一二三―一二四頁でも言及した。)

普及しなかった言い換え案

国立国語研究所は、二〇〇二年から二〇〇六年にかけて「外来語」委員会を設置し、公共性の高い媒体で使用されているカタカナ語一七六語を別の言葉遣いに言い換える提案を行っている。また同時に、そうした提案を支える調査研究として、カタカナ語の使用実態や使用者の意識などを詳しく調査している。

興味深いのは、国語研究所による言い換えの提案は、綿密な調査と議論に基づいた丁寧な仕事であり、提案された言い換え語も、その用例や手引きなどを含んだ提示の仕方も、とても工夫されたものであるにもかかわらず、その多くが一般に普及しなかったということだ。

現在、同研究所のウェブサイトに掲載されている「「外来語」言い換え提案」[1]を繙《ひもと》くと、たとえば「アーカイブ」は「保存記録」「記録保存館」、「アメニティー」は「快適環境」「快適さ」、「インフォームドコンセント」は「納得診療」「説明と同意」、「ケア」は「手当て」「介護」、「ライフサイクル」は「生涯過程」という言い換え語が提案されているが、それから十五年経った現在、どれもカタカナ語の方が依然として広く使用されている。（ただ、もちろん、「アウトソーシング」→「外部委託」のように、国語研究所の提案した言い換え語がある程度普及したと思われるケースもある。また、人々が個別のカタカナ語の意味への理解を深めたり、あるいは高齢者などと意思疎通を図ったりといった具体的な場面で、同研究所の提案がまさに手引きとして役立ったケースもあるだろう。）

カタカナ語の「しがらみ」のなさ

なぜ、これらのカタカナ語が、言い換えの提案をものともせず今も生き残っているのか。その理由はさまざまに考えられる。たとえば、先述のビジネス界隈のカタカナ語に関連して挙げた諸理由が当てはまる部分もあるだろうし、医療関連のカタカナ語に関して言えば、その種の用語を主体的に用いる医療関係者側が言い換えに積極的でなかったということもあるだろう。ただ、間違いなく大きな理由のひとつとして挙げられるのは、これらのカタカナ語が、少なくとも特定の領域において言い換えの提案以前からよく用いられており、すでに独特の位置を獲得している、という事実だ。

国語研究所がカタカナ語の言い換え提案と並行して行った調査研究をまとめた報告書『公共媒体の外来語』[2]のなかに、以上の点にかかわる重要な指摘がある。

外来語は……意味が不透明なものであり、これがカタカナ語の「分かりにくさ」の元凶であるのだが、その反面、既存の語が持つ「しがらみ」がないので、比較的自由にさまざまな語と共起できるという特徴がある。[3]

たとえば「メリット」というカタカナ語は、「利点」に言い換えられる場合も多いが、同報告書に示されている用例調査と分析によれば、「メリット」の方が「利点」よりも多くの言葉と共起している（＝多くの語とともに使用されている）ということが分かった。つまり、「メリット」の方が使える範囲が広いのだ。

たとえば、「運賃の値下げにより、乗客にメリットが生じた」、「彼にはこの方式を採るメリットがある」、「合意によって相手の方がメリットを得た」という風に、「～が生じる」、「～がある」、「～を得る」等々の言葉と「メリット」は共起しやすく、「利点」よりも高い頻度で使用される傾向がある。その一方で、「利点」という言葉の方は、「点」という語を含むこともあって、「利点を挙げる」とか、「利点が多い」という風に、数を把握するケースでは「メリット」よりも使用頻度が高い。しかし、「点」とのこうした強固な結びつき——先の引用の言い方を借りれば、既存の語がもつ「しがらみ」——があるために、「メリット」ほど自由にさまざまな語と結びつくことができない。そのため、自ずと「メリット」は、「利点」にはない種類の独特のニュアンスを帯びるようになった。すなわち、「～が生じる」とか「～がある」といった言葉とより強固に結びつき、行動選択の結果として生じるものや、特定の状況下で有無が判断されるものを表す、というニュアンスである。

同報告書による以上の分析と同様のことは、日本語のなかに深く定着した他の多くのカタカナ語にも当てはまるだろう。たとえば、「サービス」という言葉は、日本語に取り入れられて以来、「～がよい」、「～する」、「～業」、「～残業」等々の言葉と自由に結びつき、生活のさまざまな場面で用いられてきた。そのなかで、この「サービス」という言葉はいまや、「接待」や「応接」、「給仕」、「奉仕」といった意味を備えつつ、しかし、これらの言葉に完全に言い換えることもできないような、固有の意味合いを帯びているのである。

駆使と濫用のあいだ

このように、カタカナ語のなかには私たちの生活のなかで欠かせない役割を果たしているものも多い。そもそも、漢語・漢字も広い意味で外来語であり、日本語は外来語を積極的に吸収しながら発展していくところに大きな特徴があるとも言えるのだから、カタカナ語の広範な使用にそれほど目くじらを立てる必要はないのかもしれない。それこそ、カタカナ語はすべて漢字表記などに言い換えるべき、などというのはひどく乱暴な主張だ。

とはいえ、いまのカタカナ語の濫用は目に余るという指摘にも頷ける面がある。個々のカタカナ語に対する馴染み深さには、高齢者とそれ以外、特定分野の専門家とそれ以外など、世代間や分野間などでときに大きな隔たりがある。そして、この隔たりがしばしば人々の間のコミュニケーション不全の原因となり、医療や介護、福祉、公衆衛生など、多くの公共的な場面で問題を引き起こしてきた。

では、私たちはカタカナ語の氾濫にどう向き合えばよいのだろうか。次節で、この点についてもう少し踏み込んで考えてみよう。

1 「「外来語」言い換え提案 第1回～第4回 総集編」、国立国語研究所「外来語」委員会、二〇〇六年（https://www2.ninjal.ac.jp/gairaigo/Teian1_4/index.html）

2 『公共媒体の外来語』、国立国語研究所、二〇〇七年（https://www2.ninjal.ac.jp/gairaigo/Report126/report126.html）

3 宮田公治「外来語「メリット」とその類義語の意味比較――新聞を資料として」、同報告書、四〇八頁

4　カタカナ語は（どこまで）避けるべきか

日本における外来語排斥の過去

国立国語研究所によるカタカナ語の言い換え提案は、前節でも述べたように綿密な調査と議論に基づいており、また、そもそも提案であって、人々に言い換えを押しつけるものではなかった。

これとは異なり、過去にこの国において、カタカナ語の強制的な言い換えが推し進められたことがある。第二次世界大戦中に、英語由来の外来語が「敵性語」ないし「敵国語」として排斥された一連の出来事である。当時、たとえばＮＨＫは「アナウンサー」という言葉を廃止し、代わりに「放送員」という言葉を用いるようになった。鉄道省は駅構内の英語表示を禁止し、「プラットフォーム」の代わりに「乗車廊」と表示するようになり、また、「ロータリー」の代わりに「円交路」と表示するようになった。日本野球連盟は、「ストライク」を「よし」「正球」に、「アウト」を「ひけ」「無為」に、「グローブ」を

「手袋」に置き換えるなどの指導を行った。[1]

見境のない排斥は何をもたらすのか

十九世紀末から二〇世紀前半にかけてドイツ語圏で活躍した作家カール・クラウス（一八七四―一九三六）は、外来語のそうした見境のない排斥は私たちにとって有害なものだと批判している。

当時、彼の生きたオーストリアにおいても、定着した外来語を母語の言葉に言い換えるべきだと主張する運動が興っていた。たとえば、Coupé（コンパートメント）を Abteil（車室）に、Zervelat（ソーセージ）を Schlackwurst（腸詰め挽肉）に置き換える、といった具合である。これは、いわゆる「言語浄化主義」――母語を浄化して純粋なものにすべきだとする思想――の典型的な運動のひとつだが、この種の運動に抗してクラウスは次の点を強調している。すなわち、定着した外来語も含め、「すでにありとあらゆる仕事や関係に奉仕してきた言葉たちは、相互浸透を生み出すという仕方で置かれている[2]」ということである。

クラウスの言う通り、私たちがよく馴染んでいる言葉たちは、外来語であれ固有語であれ、互いに複雑な仕方で結びつき、相互浸透を生み出しながら、長い時間をかけて私たちの生活のなかに息づいてきた。にもかかわらず、「ソーセージ」を「腸詰め挽肉」に、「ストライク」を「正球」に、「メリット」を「利点」に、という風に、急に別の言葉に換えてしまえば、そうした結びつきは断ち切られる。恣意的にあてがわれた言葉は、私たちには自然に使いこなすことができず、私たちが意味して伝え合うことのできる内容も、その分だけ貧しいものになってしまう、そうクラウスは指摘するのである。

たとえば、仮に国の機関から、「サービス」という外来語は今後は使用を中止し、「奉仕」や「接待」、「応援」といった言葉に適宜言い換えるようにせよ、と言われたとしても、私たちにはそうした切り替えはすぐには困難だし、無理に切り替えても、相当ぎこちない仕方でしかこれらの言葉を使えないだろう。そして、何よりそこでは、「サービス」という言葉がいまやもっている豊かな奥行きないしは多面性が失われ、私たちはさまざまな事柄の重要なニュアンスを適切に表現できなくなってしまうだろう。たとえば、「サービス残業」という問題の根深さや、「サービスする」という行為の特異性、「サービス業」の特徴等々である。

「ケア」という言葉の多面性、固有性

同様のポイントを、もうひとつ、「ケア」という言葉をめぐって確認しよう。これは英語の care に由来するカタカナ語であり、国語研究所による言い換え提案では、「手当て」、「介護」、「看護」、「手入れ」などに置き換えうると説明されている。

ただし、同提案において、「かなり定着が進んでいる語で、そのまま使って大きな問題はないと思われる」ともコメントされているように、「ケア」はすでに他のさまざまな言葉と相互浸透を生み出しつつ、私たちの生活に深く根を張っている。そして、そのことには相応の理由があるように思われる。

哲学者の早川正祐《はやかわせいすけ》さんによれば、英語の care という概念は、相手——それは人とは限らず、物や事である場合もある——のことが気にかかるという受動的なあり方と、相手のことを気にかけるという能動的なあり方、そして、相手のことを大切に思うという献身的なかかわり方、その三つのあり方から構成されている。つまり、care は、相手に一方的に影響を及ぼすのではなく、むしろ、相手によって注意を引きつけられ（気にかかり）、こちらから注意を向け（気にかけ）、献身を伴うような深い関心を向けていく（大切に思う）、

という多面的な意味を備えているということだ。[3]

それゆえに、care は「気にかかる」「気にかける」「大切に思う」のどの言葉にも完全に置き換えることはできないし、まして、「手当て」、「介護」、「看護」、「手入れ」といったより限定された言葉では、それぞれ care のさらに限られた一面しか掬《すく》い取ることができない。そして、care という言葉にそのような〈相手ありきでその状態や要望を気遣い、持続的にかかわり合っていく〉という固有の意味合いがあるがゆえに、日本の医療や介護の現場などに「ケア」という新たな言葉を導入する動きがあったのだろう。また、導入後も、この言葉を「世話」や「保護」、「手入れ」、「気遣い」などの言葉に言い換えようという試みが数々あったにもかかわらず、いまに至るまで「ケア」のまま生き残り続けたのも、このカタカナ語に元々の care の意味合いが響いてきたからだろう。

カタカナ語の「根の深さ」と「しぶとさ」から得るべき教訓

以上のことから引き出せる結論のひとつは、定着したカタカナ語、すなわち、他の言葉と多様な仕方で結びつき、私たちの生活にすでに深く根を張っているカタカナ語については、急に引っこ抜こうとすべきではない、ということだ。そうした乱暴な仕方では、その分だけ日本語自体を貧しくさせ、私たちの表現力——ひいては、言葉を用いた私たちの思考力——を低下させてしまう。

それからもうひとつは、はじめが肝心ということだ。たとえば、「インフォームドコンセント」という長ったらしく分かりにくい言葉であっても、医療従事者などによって継続的に使用され、私たちの生活のなかに入り込んで他のさまざまな言葉と結びつき、さらに、「インフォームドアセント」、「インフォームドディシジョン」、「インフォームドチョイス」といった言葉も次々に流入してきている現状にあっては、時すでに遅く、取り返しがつかない。たとえ「納得診療」のような代替語が今後提案されても、もはや言い換えは難しいだろう。

それゆえ、特に医療や行政など、公共性が高く社会への影響が大きい領域においては、カタカナ語の導入に際して、あるいは導入の初期段階で、本当にその言葉でなければならないのか、ほかに適当な言葉がないのか、じっくりと慎重に吟味する機会があるべきだろう。

なかには「ケア」のように、さまざまな有識者や臨床家などによる言い換えの模索を経てもなお、吟味に耐えたケースもある。しかし、他の多くのカタカナ語に関してはそうとは限らない。カタカナ語の氾濫を止めつつ、同時に言語的表現の豊かさを維持するためには、「言葉の自然な淘汰」に完全に任せるというよりも、個々のカタカナ語が本格的に普及する前の十分な吟味が必要である。

1 大石五雄『英語を禁止せよ——知られざる戦時下の日本とアメリカ』、ごま書房、二〇〇七年、三四—三七頁、四九—五〇頁、五六—五七頁

2 クラウス『言葉』〈カール・クラウス著作集7・8〉、訳・武田昌一 佐藤康彦 木下康光、法政大学出版局、一九九三年、五七七頁

3 早川正祐「ケアと行為者性の哲学——揺れ動くものとしてのケアと行為者性」、東京大学大学院人文社会系研究科博士論文、二〇一三年

5 「ロックダウン」「クラスター」——新語の導入がもたらす副作用

新型コロナ禍におけるカタカナ語の濫用

二〇二〇年、新型コロナ禍が広がるなかで、「オーバーシュート」や「クラスター」、「ロックダウン」といった新しいカタカナ語が次々に登場し、メディアから洪水のように夥《おびただ》しく発信されたのは記憶に新しいところだ。

たとえば「オーバーシュート（overshoot）」は、「目標を外すこと」や「行き過ぎること」などを意味する英語の一般的な言葉だが、特に工学や経済学などにおいては、それぞれの分野に固有の意味をもつ専門用語としても用いられてきた。しかし、新型コロナ禍においてはある時期、専《もっぱ》らウイルスの感染者数が指数関数的に増加することを指す言葉として感染症対策の専門家が使用し、政治家、行政、メディアなども多用していた。

そうだとすれば、次のような指摘が当然出てくるだろう。なにもわざわざ「オーバーシュート」という分かりにくいカタカナ語——しかも、分野によって異なる意味をもつ言葉か、と。

――など使わずとも、たんに「感染急増」や「感染爆発」などと言えばよかったではない

問題のある訳語①――「濃厚接触」、「都市封鎖」

「オーバーシュート」という言葉に関しては、この指摘は正鵠を得ていると言えるだろう。ただ、この指摘を安易に一般化することはできない。すなわち、新型コロナ禍がらみの新しいカタカナ語はすべて旧来の漢字や平仮名を用いた表記に言い換えればよい、という話になるわけではないのだ。

たとえば、「濃厚接触」という言葉が、疫学上の専門用語である close contact の訳語として、やはり専門家や政治家、行政、メディアを通じ世間に流布した。しかし、「濃厚接触」と聞いて普通はどういうことを連想するだろうか。――現在では、この言葉は感染症にかかわる特殊な言葉としてよく知られているから、この言葉から受ける印象は以前とは相当変わったと言えるかもしれない。だが、二〇二〇年初頭の頃を思い出してほしい。メディアで「屋形船で濃厚接触」といった言葉が躍っていたとき、私たちは苦笑しながらそれを見聞きしていなかっただろうか。

「濃厚接触」は、キスやハグなどのまさに「濃厚」な交わりやスキンシップを容易に連想させる言葉だ。他方、疫学上の専門用語としての「濃厚接触」は、同じ部屋のなかで一定時間会話を交わすことといった、文字通りの意味では触れてすらいないケースも指す。そして、この意味の乖離は、実際に害悪をもたらしたと思われる。「濃厚接触」という言葉と、食卓を囲んだりおしゃべりをしたりといった営みは通常は結びつかない。それゆえ、危険と思わずにそうした営みを続けた人々が、少なくとも当初は多くいたことだろう。

　専門用語の訳語をめぐる同様の問題は、「都市封鎖」にも当てはまる。これは英語の lockdown の訳語としてしばしばメディアなどで用いられる言葉だ。しかし、「封鎖」という強い言葉で私たちが連想する状況とは異なり、新型コロナ対策のために世界各国で実施されてきた lockdown は、広く住民の外出や都市の機能への制限を指す言葉であって、国や地域によって実施の形態はさまざまだ。たとえば、都市間の住民の移動を完全に禁止するのではなく、さまざまな例外を設けたり、夜間の外出を制限したりする程度の形態もある。したがって、個々の国や地域が lockdown の名の下に具体的に何をしているのかを追わなければ、この言葉が指すものも見えてはこない。

敢えてカタカナ語を導入することの利点

その意味では、lockdown をそのままカタカナに変換した「ロックダウン」の方が、意味が不明瞭な分、むしろ適切な訳語だと言えるだろう。ただし、専門家や政治家、行政、メディアなどがこの言葉を用いる際には、折にふれて繰り返し、これが何を意味するのかを丁寧に説明しなければならない。そうでなければ、新奇な言葉を人々に押しつけているだけであり、急に降って湧いた言葉に当惑する人を徒《いたずら》に増やすことになってしまう。

「クラスター」という言葉も同様だ。原語である英語の cluster は、一般的な言葉としては、「(ブドウなどの)房」や「集団」、「群発」といったものを意味するが、疫学において disease cluster と呼ばれるものは、「リンクが追える集団として確認できた陽性者の一群」[1]、またはそうした一群の発生自体を意味する。したがって「クラスター」というカタカナ語は、たんに「患者集団」という日本語に置き換えうるものではなく、その点では有益な言葉だと言える。

しかし、「クラスター」とは何なのかよく分からないという人は、私の身の回りにもまだ数多く存在する(特に、高齢者に多い)。そうした人々が置き去りになり、十分な理解に基づく適切な行動が阻害されたり、相互的なコミュニケーションに齟齬が生じるというのは、歓迎すべき状況ではない。

問題のある訳語②——「社会的距離」

いま、「濃厚接触」や「都市封鎖」を問題のある訳語として取り上げたが、同様に訳語の選択がまずいものとしては、「社会的距離」も挙げられる。これは social distance（ソーシャルディスタンス）の訳語であり、疫学の分野では新型コロナ禍以前から、たとえば新型インフルエンザの流行を抑えるための非薬物的な介入手段を指す際などに用いられてきた。具体的には、人と人の間に一定の距離をあける（social distancing）という手段である。

しかし、「社会的距離」という日本語は、人とのそうした物理的な距離というよりも、社会において人々の間に存在する精神的な距離感、貧富の差、差別といったものを容易に連想させるだろう。実際、「社会的距離」という言葉自体は、二〇世紀前半にはすでに社会学上の概念として知られていたものだ。人間生態学や都市社会学の生みの親であるR・E・パーク（一八六四—一九四四）は、地元住民とよそ者、教師と生徒、ソーシャルワーカーと社会福祉支援を必要とする人など、個人間や集団間の理解の程度、あるいはそこに存在する親近感ないし敵対的感情の度合いを指すものとして、この「社会的距離（social distance）」概念を提唱し、社会調査などへの応用を図っている。[2]

以上のことを踏まえるなら、ウイルスの感染拡大を防ぐ手段としての social distancing は、「社会的距離の確保」ではなく、「対人距離の確保」などと訳すのが適当であるはずだ。欧米でも、social distance ないし social distancing という言葉が人々の間の精神的な距離を連想させることが問題視されており、たとえば世界保健機関（ＷＨＯ）では二〇二〇年三月頃から、social distancing を physical distancing（物理的距離、身体的距離）という言葉に置き換える動きが見られた。[3] また、アメリカのジョンズ・ホプキンス大学のウェブサイトでは、感染抑制のための二種類の異なる手段として、social distancing と physical distancing をあらためて定義し直している。すなわち、後者の physical distancing が文字通り物理的に人との距離をあけることを指すのに対して、social distancing の方は、外出を控えるとか、ミーティングをウェブ会議システムを使ってオンラインで行うなどの社会行動を指す、という具合である。[4]

新語の導入に伴う作用と副作用

ともあれ、ここまで確認してきたのは、ひとつには、耳慣れない言葉を馴染みの言葉の組み合わせ――「濃厚接触」、「都市封鎖」、「社会的距離」等々――に安易に置き換えるのは危険だということである。前節で取り上げたカール・クラウスの指摘を再び借りるなら、馴染みの言葉は「すでにありとあらゆる仕事や関係に奉仕してきた」のであって、私たちに特定のイメージを自ずと喚起するものだ。そして、そのイメージによって、私たちを誤った理解や行動へと導きかねないのである。

ただ、かといって、「ロックダウン」や「クラスター」、あるいは「ソーシャルディスタンス」といったカタカナ語を無闇に生み出して、丁寧な説明もなく濫用するのも問題だ。それは、私たちの間に理解の偏りやコミュニケーション不全を生み、適切な行動をとれなくさせかねない。実際、二〇二一年九月に公開された文化庁「国語に関する世論調査」の結果を見ても、特にこれらのカタカナ語に関しては、世間に広まってから相当時間が経った後も、世代間で理解の程度や馴染み具合などに大きな開きがあることがうかがえる。[5]

lockdown の訳語としては「都市封鎖」よりも「ロックダウン」の方が適当だろう、と先に述べたのは、「都市封鎖」というショッキングな言葉は人々に誤ったイメージを与え、混乱を呼び込む可能性があるからだ。その点では、先述の「オーバーシュート」という言葉の使用も、「感染爆発」という言葉が人々に引き起こしかねないパニックを避けつつ、落ち着いた行動変容を促せたのだ、という見方もありうる。本当にそういう効果があったかどうかはともかくとして、カタカナ語にも一定のメリットを見出せることは確かだ。そして繰り返すように、一定のデメリットもやはり存在する。

銘記すべきなのは、カタカナ語であれ何であれ、新語の導入には理解の偏りや誤解といった副作用がある、ということだ。だとすれば、副作用をできるだけ抑えられるように、公共性の高い領域において新語を導入する際には、はじめのうちにその適切さを皆で慎重に検討すべきであり、また導入後も、意味の手厚い説明を心がけるべきだろう。

疫学や医学、公衆衛生などに限らず、特定の分野を研究する専門家は一般的に、欧米で普及している専門用語をそのままカタカナに変換して使用したり、よく吟味されていない直訳調の粗雑な訳語を採用したりしがちだ。というのも、専門家の多くは、欧米——特に英語——の論文を日々読み書きし、close contact や social distancing といった原語への十分な理解を前提に研究や議論を行っているからだ。つまり、もともと原語が念頭にあるので、カタカナ語の分かりにくさや訳語の誤解しやすさといったものが見えにくくなっているのである。

新語の導入を常に専門家任せにするのは得策ではない。新しい言葉が世間に行き渡ってしまう前に、専門家だけではなく、多様な分野の有識者や各世代の市民の見解、感覚なども踏まえて、初期段階でよく吟味し、適切な言葉を選び取る必要がある。

1 「新型コロナウイルス感染症患者に対する積極的疫学調査実施要領（暫定版）」、国立感染症研究所感染症疫学センター、二〇二〇年（https：//www.niid.go.jp/niid/ja/diseases/ka/corona-virus/2019-ncov/2484-idsc/9357-2019-ncov-2.html）
2 徳田剛「「社会的距離」概念の射程——ジンメル、パーク、ボガーダスの比較から」、『ソシオロジ』四六（三）、二〇〇二年、三—一八頁
3 「ソーシャルディスタンシング　重要なのは「物理的距離」」、『朝日新聞デジタル』、二〇二〇年四月一九日（https：//www.asahi.com/articles/ASN4K64JVN47PLBJ001.html）
4 "Coronavirus, Social and Physical Distancing and Self-Quarantine," *Johns Hopkins Medicine*, July 15, 2020（https：//www.hopkinsmedicine.org/health/conditions-and-diseases/coronavirus/coronavirus-social-distancing-and-self-quarantine）
5 令和2年度「国語に関する世論調査」（文化庁、二〇二一年九月）二六頁

6 「コロナのせいで」「コロナが憎い」——呼び名が生む理不尽

呼び名によって傷つく人々の存在

二〇〇九年に大流行した、新型のインフルエンザウイルスを病原体とする感染症は、そのまま「新型インフルエンザ」ないし「新型インフル」と一般に呼ばれるようになった。厚生労働省など行政の冊子やウェブサイトにおいても、「新型インフルエンザ」という名称が用いられている。その後、二〇二〇年以降に猛威を振るっている新型のコロナウイルスによる感染症も、そのまま「新型コロナ」という名称で呼ばれるのが一般的になっている（本書でも、この病気のことを「新型コロナ」と呼んでいる）。

では、次の新型インフルエンザや新型コロナが発生したとき、私たちはそれを何と呼べばよいのだろうか。「新・新型インフルエンザ」や「新・新型コロナ」だろうか。それとも、「超新型インフルエンザ」や「超新型コロナ」だろうか。

「新型コロナ」という名称には別の問題もある。事前に容易に想像できたことだと思うのだが、この名称はすぐに「コロナ」と略されて、私たちの生活に浸透していった。そして、「コロナのせいで」とか、「コロナが憎い」といった言葉が巷《ちまた》で繰り返し発せられてきた。

その結果、たとえば、新潟県三条市の「コロナ」という社名の企業で働く人々やその関係者に対して、心ない言葉や態度が向けられるという具体的な被害が生じている。同社の社長は、社員の子どもたちを慰め、励ますために、「コロナではたらくかぞくをもつ、キミへ」と題するメッセージ広告を新聞に出すに至った。[1] その末尾近くにはこう綴られている。

もし、かぞくが、コロナではたらいているということで、
キミにつらいことがあったり、なにかいやなおもいをしていたりしたら、
ほんとうにごめんなさい。
かぞくも、キミも、なんにもわるくないから。
わたしたちは、コロナというなまえに、
じぶんたちのしごとに、ほこりをもっています。

呼び名に心を砕く必要性

同様の理不尽な事態は、国内外でこれまでも繰り返し生じてきた。たとえば、アメリカではハリケーンに人名が付けられるため、「カトリーナ」など、甚大な被害をもたらしたハリケーンと同じ名前をもつ人が、ときにからかわれたり、嫌がらせを受けたりするという。その点では、台風を発生順に「台風8号」などと番号で呼ぶ日本の気象庁の制度は、賢明なものだと言えるかもしれない。

ただし、馴染みのある名詞で呼ぶ場合とは異なり、番号のみの呼称では、個別の台風をそれとして同定しづらいという難点もある。それもあってか、特に大きな災害となった台風については、「伊勢湾台風」や「令和元年房総半島台風」といった固有名が与えられることがある。

新型コロナをめぐっても、国際的にはCOVID－19という正式な病名が付けられているものの、アルファベットと数字によって構成されたこの名前は、少なくとも日本語話者にとって使いやすい代物ではなく、国内ではメディアでも日常生活でも、いまのところ普及していない。

今回はもう手遅れだが、今後、新たな病気などが生じた際には、やはり初期段階で、その呼び名に心を砕く必要があるのではないだろうか。それこそ「コロナ」といった、すでに社会に広く行き渡っているものは避けつつ、できるだけ幅広い世代の人々に馴染みやすい名称を編み出すべきだ。それは、たとえば「コビッド19《じゅうきゅう》」のように、国際的な名前にある程度対応したものかもしれない。（「インフォームドコンセント」でさえ普及したのだから、メディアで多用され、生活のなかで繰り返し使われれば、この名前でも皆自ずと慣れていくだろう。）あるいは、別のもっとよい命名法があるかもしれない。いずれにせよ、皆が知恵を出し合って工夫する必要と価値のある事柄であることに間違いはない。

1　二〇二〇年六月一三日付、新潟日報朝刊一〇面

7 「水俣病」「インド株」
——病気や病原体の名となり傷つく土地と人

公害病に土地の名前をつける意味は？

私の両親の故郷は水俣で、里帰り出産で私を産んだから、私も水俣出身だ。この地に定住したことはないが、夏休みにはときに一カ月以上、両親のそれぞれの実家で過ごした。海釣り、夏祭り、市民プール、銭湯上がりの夜風——水俣は私にとって、かけがえのない大切な思い出が詰まった場所だ。

ただ、学校で公害の授業を受けるようになった頃から、自分が水俣に生まれたことを気軽に口に出すことが難しくなった。好奇の目を向けられること以上に、同情や連帯の態度を示されることに困惑した。

なぜ、公害病に土地の名前をつける必要があるのだろう。「新潟水俣病」なる奇妙な言葉を考えると、ますますその疑問が募る。病状のみに焦点を当てるなら、「メチル水銀中毒症」という正式な名称もある。差別や偏見を生む刻印が、土地の人々が深い愛着をもつ地名に永遠に残るというのは、理不尽ではないか。

しかしその一方で、「水俣病」という言葉が生まれて定着するには一定の経緯があり、この公害病をめぐる長く苦しい道のりがこの言葉とともにあった、というのも確かなことだ。名称を変えることによって、そうした固有の歴史——水俣という土地独特の事情や、この土地で生じたさまざまな事件や出来事など——が忘却され、患者をはじめとする関係者の経験や思いが過去へと押し流されてもならない。

非常に難しい問題だが、「水俣病」という名称がこれほどまでに定着し、『MINAMATA—ミナマタ—』（二〇二一年）という題名のハリウッド映画までつくられた現状下では、この土地で何が起きたのかを私たちが忘れないことが肝要だろう。せめて、多くの人が問題の内実をよく知り、教訓を真に活かすのでなければ、「水俣」が損なわれ続けている意味がない。

呼び名がもたらす風評被害、差別、偏見

そして、新型コロナ禍においても、病気や病原体などに土地の名前をつけることの問題が繰り返し生じている。

ウイルスの発生源が中国の武漢だという説が有力なことから、たとえば日本のＳＮＳ上などでは「武漢ウイルス」という名称を敢えて使う人々がいるほか、アメリカのトランプ前大統領は演説やＳＮＳへの投稿などにおいて、明確に非難の意味を込めて、新型コロナウイルスを繰り返し「中国ウイルス」と呼んだ。

また、次々に生じているウイルスの変異株について、当初はそれぞれの発生源と目される国の名前をとって、「英国株」、「南アフリカ株」、「ブラジル株」、「インド株」などと呼ばれていた。しかし、それぞれの国のイメージを悪化させ、差別や偏見を生むことから、世界保健機関（ＷＨＯ）は二〇二一年五月三一日に名称の変更を決定し、それぞれ「アルファ株」、「ベータ株」、「ガンマ株」、「デルタ株」という風に、ギリシア語のアルファベットを用いた表記を採用すると発表した。

実際、たとえば「インド株」という名称を行政やメディアがよく使っていた頃には、日

本国内のインド料理店などが風評被害に遭っていた。「調理するのはインドの人なのか」といった問い合わせがお店に来たり、「インド人も食べに来るのか」と声をかけられたりしたという。[1]

「アルファ株」や「デルタ株」といった名称が導入された当初、これでは覚えにくい、判別しづらい、といった声もよく聞かれた。しかし、ある程度時間が経って慣れてくると、皆特に支障なく使えるようになった。

ある名称が政治や行政の場で用いられ、マスメディアを通じて流通し、社会に完全に定着してしまうと、なかなか取り返しがつかない。それゆえ、少なくとも病名や関連する事物の名称などに関しては、命名や使用の考え方を整理し、命名プロセスの基本的なあり方を検討することが必要ではないだろうか。すなわち、（1）差別や風評被害などが生じにくく、（2）個々にある程度判別しやすく、（3）日本語として表記や発音がしやすい、といったことを念頭に置いた命名のあり方を検討し、その基本的な認識を共有すべきだろう。

もっとも、本書で繰り返し強調しているように、言語とは途方もなく複雑な文化遺産、しかも絶えず変容していく生ける遺産であって、個々の言葉がどう生まれ、どう働き、どう定着するかといったことは、しばしば個人の意図やコントロールの及ぶところではない。（ここで私たちは、企業や行政などが意図的に流行らせようとしたものの、全く定着しなかった新語の数々を思い出すこともできるだろう。）だが、新たな病気に代表されるように、いずれにせよ誰かがあるとき意識して名前を付ける必要があるもの――そして、そのまま社会に広められるもの――については、命名法自体に意識的であるべきではないだろうか。

1　二〇二一年六月一六日付、時事通信配信記事「インド株のせい？　カレー店悲鳴　売り上げ大幅減、風評被害も――新型コロナ」（https://www.jiji.com/jc/article?k=2021061600167&g=soc）

8 「チェアリング」と「イス呑み」——ものの新しい呼び名が立ち上がらせるもの

命名は重要な発明でありうる

アウトドア用の折り畳み椅子を持ち歩き、海辺でも河川敷でも、人の迷惑にならない好きな場所に置いて、好きなお酒でも飲みながら、ゆっくりくつろぐ。——この遊びを、ライターのスズキナオさんとパリッコさんは「チェアリング」と名づけ、紹介してきた。[1] 私も含めて多くの人が、ああこんな愉しみが身近にあったのか、と気づかされた。もちろん、同様の実践は以前から全国でたくさん行われてきただろう。肝心なのは、「チェアリング」という洒落っ気のある言葉を創造し、その実践を一個のアウトドア・アクティビティとして際立たせた、ということだ。スズキナオさんとパリッコさんは、それまで人々の注意を惹かなかったものに明確な輪郭を与え、新たな相貌の下に立ち上がらせたのである。

この成功は、決して軽んじられるべきではない。ものの新しい見方や注意の向け方を生み出すことは、それ自体として重要な発明だ。新しいものをつくることだけが発明なのではない。

キャンプやピクニックほど本格的で面倒なアウトドア・アクティビティではないが、たんに公園のベンチで缶ビールを呑むことなどよりは何となく垢抜けていて、お気に入りの場所を自分で見つける楽しさや自由さがある。これ以上ないほど気軽に、日々の生活のなかに少しだけ非日常的な時間をつくることができる。「チェアリング」という名とともに、この遊びが静かに世間に広まるなか、先頃ついに、チェアリングをテーマとするテレビ番組も放映された。そこで紹介されていた実践は、紛れもなく「チェアリング」だった。

しかし、その番組において、それはなぜか一貫して「イス呑み」と呼ばれていた。理由は分からない。視聴者は分かりやすさを求めていると制作サイドが忖度《そんたく》して、名前を変えたのかもしれない。チェアリングは別に何を飲み食いしてもよいのだから、「お酒を呑む」という部分に特にスポットライトを当てたかったのかもしれない。あるいは、もっと何か別の、嫌な大人の事情があったのかもしれない。だが、いずれにせよ、「イス呑み」

という名前で呼ばれることで、この遊びが急に色褪《あ》せてしまったように思えた。

「イス呑み」という言葉の退屈さ、魅力のなさは、逆に、「チェアリング」がいかに絶妙なネーミングであったかを物語っている。ものの呼び名は、ものに貼られる単なるラベルなのではない。それをどう呼ぶかによって、そのものを際立たせ、そこに独特な表情を与えたり、元の表情をがらっと変貌させたりすることもありうるのだ。

新しい言葉が何をもたらすかを見極める

同様のことは、本書でこれまで見てきた他のいくつかの言葉にも当てはまる。

たとえば、「抜け感」（一六三頁参照）という言葉が表す着こなし方を、お洒落な人々は以前から自然に行ってきただろう。だが、名前が与えられることによって、私たちはその種の着こなし方にあらためて注意を向け、「抜け感」の多様な種類について考えたり、たとえば「こなれ感」（＝頑張ってる感を出さずにお洒落に見える雰囲気）など、他の関連する感覚やセンスと意識的に比較できるようになる。さらに、「抜け感」の新たな出し方を編み出すといった、クリエイティブな実践にもつながるだろう。

また、「ケア」（一七九頁）という言葉が表す心のもちようや実践のあり方も、この言葉がカタカナ語として普及する以前から、私たちの生活のなかにずっと存在してきたはずだ。すなわち、まずもって相手のことが気にかかり、やがて相手を気にかけ、大切に思って、持続的にかかわり合っていく、というあり方である。

重要なのは、それに「ケア」という名前が与えられ、意識的に見直されるということだ。ケアとは、公正や正義といった一般的な原理原則を個別の相手に対して振りかざすのではなく、また、自分がしたいことやしてあげたいことを一方的に相手に押しつけるのでもなく、相手ありきで、相手に寄り添って心を砕いていこうと努めることだ。そのような気遣いや行動とは具体的にどのようなものかを考えることは、たとえば、看護や介護、教育などのあるべき姿を見直す大事な契機となってきたし、それから、個別の他者のニーズや訴えに応答する責任について、私たちに深く問いかけるものとなってきたのである。

ただし、新語の導入が常に物事の特定の見え方を明確にしたり、新しい見方を開いてくれたりするわけではない。それこそ、ある種のカタカナ語や業界用語のように、視界をぼやかし、物事の輪郭を見えにくくさせるものもある。

新しい言葉を無闇に振り回しているときには、他人だけではなく自分自身もその言葉によって振り回され、煙に巻かれてしまっているケースが大半だ。新しい言葉の奔流のなかで溺れないためには、その言葉によって物事の何か重要な輪郭が本当に見えてくるのか、世界をより豊かに色づけるものであるのかを、そのつどよく見極めていくことが欠かせない。

1　スズキナオ＋パリッコ『椅子さえあればどこでも酒場　チェアリング入門』、Pヴァイン、二〇一九年

第四章
変わる意味、崩れる言葉

1 「母」にまつわる言葉の用法
——性差や性認識にかかわる言葉をめぐって①

「お母さん」が示す社会的性役割の不均衡

私の娘は二歳までは保育園、三歳からは預かり保育のある幼稚園に通っている。自分は裁量労働制の下で働いているから、定時の仕事に就いている連れ合いに比べて時間の都合をつけやすい。そのため、自分の方が入園式や終業式といった行事に出ることが自然と多くなる。

そして、そのような場では、居並ぶ保護者に向かって先生が「お母さん方は……」と呼びかけるケースがよくある。自分はそのたびに少し肩身が狭いような、みそっかすになったような気分になるのだが、ただ確かに、その場にいるのは圧倒的に「お母さん」たちなので、先生の方からしてみれば、目の前にいる人たちに対する自然な呼びかけなのだとも思う。(自分もそういう場では何となく憚《はばか》って、目立たない隅の方にいつも座っている。)

いまこの国で、家庭において夫が育児や家事に費やす時間が上昇する傾向にあることは間違いないが、ほかの先進国に比べて低い水準に留まっているのも事実だ。つまり全体として見れば、依然として育児や家事のかなり多くの割合を妻の方が担っている状況は変わっていない。[1]

こうしたなか、コンビニ大手のファミリーマートが販売する総菜のシリーズ商品が「お母さん食堂」と銘打たれたことに対して、「食事は母親が担当するものという意識が社会で強化されてしまう」という類いの批判が出たこと——そして、実際に高校生有志が、名称変更を求めるオンライン署名活動を行ったこと——は記憶に新しい。[2]

それから、一九五〇年代から続いている「おかあさんといっしょ」というＮＨＫのテレビ番組も、その名前が「育児は母親が担当するもの」という性役割の固定化に一役買っているという指摘は以前から見られる。二〇一三年からは「おとうさんといっしょ」という名前の派生番組が同局で始まり、時代や人々の意識の変化に即している面もあるが、ほぼ毎朝放映されている「おかあさんといっしょ」という番組名自体に変更はない。

「母」のつく熟語をめぐる問題

ジェンダーバイアス（社会的な性役割についての固定観念）をめぐる問題に関しては、「お母さん」という言葉以外に、「母」というこの一語自体が社会で含みもってきた特定の意味合いも無視できない。

たとえば、「母語」、「母国」、「母校」といった言葉は、文字通り母体のなかで受精卵が子へと成長して生まれ出てくるという自然的事実や、その後の育児を行う役割を主に母親が担ってきたという社会的事実が基になっていると言える。つまり、言語であれ、国であれ、学校であれ、自分を産み育てた根源や基盤の比喩として「母」が機能しているということだ。そのため、たとえば先の「母語」という言葉を「第一言語」等の言葉に置き換えると、「母語」のもっているいわば「根源的な言語」というニュアンスが希薄になるだろう。すなわち、生まれた後にいつの間にか身についており、以来そこから完全には離れることができず、自分自身をかたちづくる大きな基盤となっているもの、というニュアンスである。

しかし、子どもの誕生にはもちろん父親もかかわっているし、育児を母親が担うのも必然的な事柄ではない。むしろ、「母語」、「母国」、「母校」といった言葉の使用——さらに、たとえば「運営母体」のような、「母体」の比喩的用法——は、この社会におけるジェンダーバイアスを維持する土台の一部を構成しているのかもしれない。実際、先の「母語」という言葉について言えば、たとえばある論文において、「「母語」というのはジェンダー化された表現なので、実際には「親語」といった用語をあてるべき」という主張がなされたりもしている。[3]

しかし、当該の論文で直後に「今のところ一般的に用いられる適切な代案がない」とも言われているように、「母語」を「親語」に言い換えることは（少なくともいますぐには）不可能だ。なぜなら、先に確認したような「母」という言葉が含みもつ意味合いを、「親」という言葉は歴史的に備えていないからである。また、「母」の比喩的意味が通底している言葉は、「母国」、「母校」、「母語」のほかに、「空母」、「母船」、「母屋」などさまざまなものがある。このように無数の言葉が相互に浸透し、つながり合っているなかで、「母語」という言葉だけ「親語」などに置き換えたとしても、それは不自然で浮いた言葉であり続けるだろう。

では、「母」のつく熟語は一挙に別の言葉に置き換えてしまえばよいのだろうか。しかし、まずもって、どこまで置き換えればよいのだろうか。たとえば、「酵母」や「分母」、「母集団」、「母数」、「母音」といった言葉も全部別の言葉に換えるべきなのだろうか。だが、前章で外来語について強調したのと同様に（一八〇頁）、私たちの生活に深く根を張っている言葉たちを急に引っこ抜いて、よそよそしい言葉に置き換えることは、その分だけ日本語の表現力や、日本語を用いた思考力を脆弱なものにしてしまう。「母」のつく熟語を一切用いることなしに思考し、表現し、生活を送ろうとするのは、いまの私たちには困難きわまりない。

母語を学ぶことは、伝統へと入りゆくことを含む

母や母体の概念が特定のイメージ――何かを産み育てる基盤、根源、大本といったイメージ――を含みもつことは、そもそも、古今東西の多くの文化にかなり古くから見られる特徴だと言える。たとえば、ギリシア神話など各地の神話には、世界や生命の根源として位置づけられる地母神《ちぼしん》（大地の母なる神）がしばしば存在する。また、中国の『老子』にも、世界の根源について「可以爲天下母（それは天下の母というべきものだ）」（第二五章）と表現する一節がある。同様の例は、ほかにも数多く見出すことができるだろう。

そして、この種のイメージは日本の文化においても存在し、それが独自の具体性をもって行き渡り、生き続けている。それは、「母屋」や「酵母」等々の言葉というかたちで、文化遺産としての日本語にもはっきりと認められる。日本語であれ、あるいは別の自然言語であれ、子どもが母語を学ぶことは、それぞれの言語が息づく文化の伝統的なイメージないしは物事の見方を学ぶことを伴うのだ。この点について、現代の哲学者ジョン・マクダウェルは次のように述べている。

各々の言語が世界の見方であるというのは、各々の言語が（言語学者が考えるような意味での）特定のタイプの言語であるからではなく、各々の言語において語られる事柄ないし伝えられる事柄のゆえである。……世界を視野に入れるという観念は、成長して伝統へと入っていくという観点においてはじめて理解可能となる。そして、成長して伝統へと入っていくというのは、普通の意味で言語を学ぶことの一部を成している。その学習において、人はたんに眼前を過ぎ去る光景の諸々の相貌に対して言葉で反応する傾向性を獲得するだけではなく、どのような事柄を言うべきかを学ぶのである。[4]

伝統は変化し、言葉も変化する

マクダウェルの言う通り、伝統へと入っていくことは、母語を学ぶことの一部を成している。ただし、このことはもちろん、物事の伝統的な見方はすべてそのまま受け継がれて保存される、ということを意味するわけではない。言語は生ける文化遺産であって、私たちの生活のかたちが絶えず変容を続けるなかで、言葉やその用法も変わり続けている。

そして、特定の言葉に対する違和感は、社会や物事のあり方に対する私たちの見方が変わりつつあることを示す重要なサインでありうる。たとえば、「お母さん食堂」や「おかあさんといっしょ」といったものに見られる「お母さん」の用法は、現在でも疑問に思ったり不自然に感じたりする人が一定数おり、今後もその割合は増えていくだろう。

私自身に関して言えば、娘をどの幼稚園に入れるか検討していた頃、近所のある幼稚園の説明資料のなかに、「お昼はお母さんの愛情弁当をご用意ください」と記してあって驚いたことがある。わが家では、家事・育児分担を相談した結果、娘が幼稚園に通っている間は私が妻子の「愛情弁当」をつくることになっていたから、この文面には面食らい、がっかりした。そして、（ほかにも理由はあったが）この園は選択肢から外した。家族にはさまざまなかたちがあり、多様な育児・家事のあり方が存在するということが、この園の方々には見えていないか、見ようとしていないように思えたのだ。

「機械的に置き換える」のとは別の仕方で

「お母さん」の用法が変わっていくなかで、その遠い先に、「母語」や「酵母」や「分母」も何らかの別の言葉に置き換わる未来がくるかもしれない（あるいは、こないかもしれない）。それは現時点では不明だが、いずれにしても、〈「母」は「親」に〉という風にして言葉をただ機械的に置き換えようとしても、うまくいくものではない。

たとえば、いま発達心理学や看護学などの分野で用いられることのある「親性《しん》」という言葉は、女性にも男性にも共通する親としての意識や感情の類いを端的に指すものであり、必ずしも「母性」や「父性」に完全に取って代わるべき言葉として位置づけられているわけではない。実際、これまで日本語のなかにはその種の意識や感情を表す言葉が無かったため、「母性」や「父性」に加えて、従来は光が当たりにくかった物事の見方を開く新語として、「親性」という言葉が少しずつ世間に広まり始めていると言えるだろう。

生活のなかに深く根を張った言葉の変化は、まさに生活の変化とともに、そして、関連する他の言葉たちの変化とともに、進行していく。言葉には大きな影響力があり――さらに言えば、権威や権力もあり――、伝統の維持にも変革にも働きかける面があるが、同時に、その維持や変革の動きによって影響される面もある。そうした相互的で全体的な影響の中身を、私たちはよく見極めていかなければならない。

逆に言えば、一切の変化に先回りして一挙にすべてを変えることはできない、ということだ。ある個別の言葉に対して、ある人々の間に違和感が生まれてきたときに、自分もその言葉に対してあらためて注意を向けて見直すこと。そして、その言葉に関連する現実(生活のかたち、社会のあり方)をさまざまな角度から見直すこと。自分が見逃してきたものを見ようとすること。そして、その言葉のある種の用法に対して、場合によっては異議を唱えること。――「母」は「親」に言い換えよ、といった単純明快なガイドラインに比べて、遅々とした面倒な方法に思えるかもしれない。だが、私たちの従来の物事の見方と密接に結びついている言葉に関して、その変容を促すには、そうした地道な営みこそがむしろ不可欠だ。

1 『男女共同参画白書（概要版）平成30年版』、内閣府男女共同参画局、二〇一八年、第3章第2節

2 二〇二一年二月一九日付、毎日新聞朝刊一三面

3 徐京植「母語と母国語の相克——在日朝鮮人の言語経験」、『東京経済大学人文自然科学論集』一二六、二〇〇八年、五四頁

4 McDowell, John, "Gadamer and Davidson on Understanding and Relativism" in his *The Engaged Intellect : Philosophical Essays*, Harvard University Press, 2009, pp. 146-147

2　「ご主人」「女々しい」「彼ら」
――性差や性認識にかかわる言葉をめぐって②

「○○を男にする」という言葉の背景

中学生のとき、生徒会の書記に立候補した友達の牧野君の応援演説を行った。政治家の演説のパロディをコンセプトにして、「彼を男にしてください！」とか、「男・牧野はこれまで……」とか、とにかく「男」という言葉を使い倒した演説を大仰に行って、かなり受けた。牧野君も無事に当選した。

いま思い出すと、それから経過した三〇年という時間以上に、当時の光景と言葉が随分遠く、古いものに感じる。自分はもう、「○○を男にする」という言葉を、積極的に自分の言葉として発することはないだろう。いまやこの言葉には、どこか滑稽な印象さえ覚えるほどだ。

「男にする」というのはある意味面白い言葉で、たとえばスポーツ選手がたまに「次の試合に勝って監督を男にしたい」と言うことがあるが、これが「監督を一人前にする」とか「監督を立派にする」といった意味であれば、随分と失礼な言い方ということになる。だから、「男にする」は「一人前にする」とか「立派にする」などとぴったり同じ意味ではなく、そこには独特のニュアンスがある。ただ、ともあれこの言葉が、男性に対する伝統的なイメージや、女性には付与されない地位や名誉、それを体現する誇り、沽券《こけん》といったものにかかわる言葉であることは確かだ。たとえば、監督が女性のときに、選手たちは「監督を女にする」と言ったりはしない。

夫婦の呼び名をめぐる問題

古びてきた言葉、時代にそぐわなくなってきた言葉は、ほかにも数多く挙げることができる。たとえば「未亡人」は、夫に先立たれた女性を指す、独特の雰囲気を帯びた伝統的な言葉だ。しかし、この言葉には元々、「夫と共に死ぬべきであるのに、未だ死なない人」（日本国語大辞典 第二版）という意味合いがある。そのため現在、この言葉の使用を控える傾向が社会のなかで強まっている。また、「処女作」は一九世紀末頃から流通している言葉（欧米の maiden work 等の翻訳語）だが、私は少なくとも自分で使うことには抵抗感を覚えるようになったし、世間的にも使用頻度が下がってきているように思われる。

　夫婦の呼び名は、おそらくいま、多くの人が生活のなかで実際に困っている問題ではないだろうか。「主人」も「旦那」も「亭主」も、「家内」も「嫁」も「奥さん」も、家父長制的な伝統や男性優位の観点を色濃く映し出す言葉であり、これらの言葉の使用を避ける人が年々増えていることは間違いない。そして代わりに、「夫」、「妻」、「連れ合い」、「パートナー」といった言葉が用いられる傾向も見られる。ただ、こうした変化は一般的な傾向とまでは言えない。関西で生まれ育った研究者から直接聞いた話では、彼が帰省して小学校の同窓会に出席したとき、「うちの妻が……」と言った途端、その言葉が場で非常に浮いてしまって、「さすがインテリ！（笑）」などと周囲にからかわれたという。ちなみに、彼以外の男性妻帯者は皆「嫁」という呼称を使っていたらしい。

　いま特に難しいのは、相手の夫なり妻なりを呼ぶ場合だ。「ご主人は……」とか「奥様は……」と呼ぶのはどうかと思っても、代替となる言葉がなかなか見当たらない。「お連れ合い様は……」だと、客を案内する店の人のようだし、「パートナーさんは……」と言うのも、どうも不自然な感じになってしまう。下の名前で「茜さんは……」などと呼ぶという手もあるが、そもそも名前を知らなければ使えない方法だし、相手との関係性によっては馴れ馴れしい感じや失礼な印象を与えかねない。たとえば私自身はいまのところ、時と場合に応じて多様な呼び方をぎこちなく使い分けているというのが実情だ。

「女々しい」や「英雄」は使うべきではない?

女性に対する蔑視や、男女の不平等性を読み込める言葉は、ほかにも数多く存在する。では、私たちは、そうした言葉の使用をすべてやめるべきだろうか。

たとえば「女々しい」という言葉についてはどうだろうか。これは、近頃のヒット曲のタイトルにもなっているように（ゴールデンボンバー「女々しくて」）、きわめて一般的な言葉だが、女性を否定的な意味で捉えているから用いるべきではない、という意見もありうる。しかし、仮にこの言葉を廃止して、「柔弱だ」とか「未練がましい」、「意気地がない」といった言葉に置き換えるとしても、「女々しい」はこれらの言葉のどれともぴったり合うものではないから、「女々しい」がもっている固有のニュアンスが失われることになる。そのとき、私たちがそれまで「女々しい」という言葉で表現してきたものはどこに行ってしまうのだろう。あるいは、それはどこかに行ってしまっても別によいもの、打ち棄ててよいものなのだろうか。

ある本のなかで、「英雄」はオス優位主義的であり、一方の性を排除する表現であるから、「偉人」、「傑物」、「逸材」などの言葉に置き換えるべき、という主張がなされていた。[1]しかし、「英雄」と「偉人」「傑物」「逸材」などとの間には、それぞれ意味が重なる部分もあるが、明確に異なる部分も存在する。たとえば、「逸材」が必ずしも「英雄」になるわけではない。また、「偉人」は人格的に優れた人物、高い徳を備えた人物を指すことも多いのに対して、「英雄」の方は、「英雄色を好む」や「英雄ひとを欺く」ということわざもあるように、好色や狡知といった特性を備えた人物に対しても積極的に適用される言葉であって、偉人が「色を好む」とか「ひとを欺く」とはまず言われないのとは対照的だ。さらに、「英雄気取り」や「英雄的行為」、「英雄児」、「英雄譚」、「英雄時代」など、「英雄」という言葉が他の言葉と結びつく独特な言い回しも数多く存在する。こうした意味合いや言葉同士の結びつきといったものを度外視して、「英雄」をすべて機械的に「偉人」「傑物」「逸材」などに置き換えてしまえば、その分だけ日本語の表現が失われ、それらの表現が表す独特の意味合いも失われる。

雄と雌の優劣や、雄の優位を含意していると解釈できる言葉は、ほかにも無数にある。「雌雄を決する」、「雌伏」、「雄大」、「雄飛」、「雄弁」等々だ。前節で取り上げた「母語」

や「母屋」、「酵母」、「分母」、「母音」等々と同様に、これらの言葉をすべて廃止するならば、日本語話者は、自分たちが思考し表現するための多くの言葉を喪失することになる。字面だけ見て性差別語かどうかの線引きを行い、言い換えを行う、というのは粗雑なやり方だ。しかしだからといって、伝統的な言葉は何であれ今後も使用していくべきだ、というのも乱暴だ。性差別であれ、他の種類の差別であれ、いまでは許容しがたい（あるいは許容しにくい）物事の見方や価値観を反映している伝統的な言葉はさまざまに存在するからだ。

前節でジョン・マクダウェルの議論を引きつつ確認したように、いまある言葉の多くは、長い時間をかけて形成された、世界に対する特定の見方を含むものだ。そして、時間は流れ、世界は変わり、言葉も変わっていく。そうした変化と、個々の言葉が湛える豊かな意味合いとを繊細に捉えながら、用いるべき言葉をよく吟味する――言葉を大切にするというのは、そうした努力を指すのではないだろうか。

「彼ら」は性差別的か

性差や性認識にかかわる言葉の問題に関して、私自身がいま具体的に頭を悩ませているのは、日本語の三人称複数の代名詞として何を使うべきかだ。

三人称単数の場合、男性なら「彼」、女性なら「彼女」と呼ばれるのがいまは一般的だ。しかし複数形の場合には、男女混合の集団を指す場合にも「彼ら」となるので、男性優位的ないし女性排除的だという指摘が現在しばしばなされている。それゆえ、「彼ら」という表記に代えて、「彼ら／彼女ら」あるいは「彼女ら／彼ら」と併記したり、「彼・女ら」などと表記したりする向きも見られる。(ちなみに、同様のことは他の言語でもあって、たとえばドイツ語の Schüler は、単数形では「男子生徒」を意味し、「女子生徒」は Schülerin だが、複数形の「生徒たち」も Schüler であるため性差別的であるとして、「女子生徒たち」を表す Schülerinnen という言葉が編み出されて、Schüler und Schülerinnen といった併記が行われるようになってきている。)

自分はといえば、特にジェンダーが主題となる文脈など、「彼ら／彼女ら」「彼女ら／彼ら」「彼・女ら」といった表記が適した場面もあるとは考えているが、他の場面ではどうしても不自然さを覚えてしまう。そのため、基本的には旧来の「彼ら」という呼称を用いている。たとえば本書の、「ちゃんとした豆腐屋の仕事が住民たちにちゃんと評価され、日々買われ、彼らの生活の一部になっている」(八〇―八一頁)という文章中の「彼ら」の部分を、「彼ら／彼女ら」などに置き換えるとすれば、そこにいわば引っ掛かりが生じ、当該箇所で表現したい内容に加えてジェンダーにまつわる問題も前景化して、複数の文脈がひとつの文章に混在してしまうように感じる。つまり、その点で不自然な文章になってしまうように感じるのだ。

性無差別的・存在無差別的な言葉としての「彼ら」

そもそも、「彼」や「彼ら」という言葉の歴史を振り返ってみると、遅くとも中世の時点で三人称代名詞的な用法がすでに見られるが、これらはずっと、男性にも女性にも、さらには人間一般にも、他の動物や物にも用いられてきた。そして、この用法は、「誰彼《だれかれ》」や「彼此《かれこれ》」といった、いま現在も息づいている言葉のなかに確認することができる。

「彼」が特に男性の三人称単数形の代名詞として用いられるようになったのは明治時代からであって、言文一致運動、ヨーロッパ言語の影響、近代文体や翻訳文体の成立などの過程で、欧語の女性の三人称代名詞の訳語として「彼女」という言葉が生み出され、併せて男性の三人称代名詞として「彼」が位置づけ直されるようになり、現在の用法へと至る、という経緯がある。[2] つまり、男性と女性を峻別するヨーロッパ言語の特徴に、日本語の方を適合させていったということだ。

　私自身はこの一連の消息を踏まえ、「彼ら」を本来の性無差別的・存在無差別的な意味合いに寄せるかたちで、この言葉を捉えたいと考えている。また、単数形の「彼」に関しても、これを原義に近いかたちに位置づけ直すことができれば――「彼女」という比較的新しい言葉との兼ね合いもあり、実際には難しいだろうが――むしろ利点を見出すことができるかもしれない。トランスジェンダー（生まれたときに割り当てられた性別が性自認と異なる人）や、ノンバイナリー（男性・女性のいずれか一方に限定しない性別を自認する人）など、性認識の多様性に光が当てられつつある現状に鑑みれば尚更《なおさら》だ。

　つまり、かつてはどの性にもどの動物や物にも用いられていた代名詞「彼」であれば、性認識の多様性や、さらには人間と動物を峻別しない観点といったものに、複数の言葉を長く連ねたり新語に置き換えたりするよりも自然に対応できるように思われる。というのも、繰り返すなら、「誰彼《だれかれ》」や「彼此《かれこれ》」、さらには「彼《か》の国」や「彼《か》の有名な映画」等々、いま現在も頻用されている数多くの言葉のなかに、かつての「彼《かれ》」や「彼《か》」という代名詞の用法の痕跡がはっきりと残っているからだ。たかだか百数十年程度の時間経過で、言葉同士が長大な時間をかけて培ってきた連関が完全に断ち切られるわけではない。そして、そのような連関こそが、言葉を用いる際の「自然さ」に影響する大きな要因をかたちづくっているのである。

ただ、もちろん、こうした「彼」や「彼ら」の位置づけ直しが、明治時代以降の主だった用法を無視して、それ以前の用法に一足飛びに立ち戻ろうとする試みであることも確かだ。それは、ある期間の言葉の歴史を無視した「語源原理主義」（六一頁参照）ともなりかねない。とはいえ、それは同時に、いま現在の私たちの固定化した見方を解きほぐし、私たちが抱えている問題へのヒントを提供する「温故知新」的な実践にもなりうるだろう。

以上の考えは、あくまでも私個人の暫定的なものであって、ほかにもさまざまな考え方やアイディアがありうる。必要なのは、性差や性認識にかかわる言葉について、個人のこだわりや信条の次元で終わらせるのではなく、やはり皆で関心を向け、議論し合い、吟味を続けることだと思う。

1 『きっと変えられる性差別語――私たちのガイドライン』、編・上野千鶴子＋メディアの中の性差別を考える会、三省堂、一九九六年、一四九頁

2 廣田榮太郎「『彼女』という語の誕生と成長――近代譯語考・2」、『國語と國文學』三〇（二）、一九五三年、四八―五六頁
奥村恒哉「代名詞『彼、彼女、彼等』の考察――その成立と文語口語」『国語国文』二三（一一）、一九五四年、六三―七八頁
李長波「『カレ』の語史とその周辺――三人称代名詞が成立するまでのみちすじ」、『Ｄｙｎａｍｉｓ』4、二〇〇〇年、一―三三頁

3　「新しい生活様式」——専門家の言葉が孕む問題

「新しい生活様式」という言葉と内容の食い違い

二〇二〇年五月四日の新型コロナウイルス感染症対策専門家会議の提言以降、そこで発信された「新しい生活様式」という言葉が、社会のありとあらゆる場所に広まった。〈できるだけ在宅勤務〉、〈買い物は事前に計画を立てて、素早く済ます〉、〈会食中は横並びで、黙って食べる〉といった日々の感染対策の実践例が示され、その総称として「新しい生活様式」という言葉が位置づけられたわけだが、以来テレビでも、職場でも、お店でも、この言葉を見聞きしない日はない。

当時もいまも、私はこの言葉の用い方にはきわめて批判的だ。理由はいくつもある。まず、「生活様式」という言葉は、「ある社会・集団に属する人に共通してみられる生活の型」（大辞泉　第二版）、ないし、「生活していく上での一定の形式」（日本国語大辞典　第二版）

のことであり、本書ですでに何度か用いているウィトゲンシュタインの用語でいえば、「生活形式《レーベンスフォルム》（生活のかたち）」にあたるものだ。辞書の記述や私の語感がおかしいのでなければ、生活様式（生活形式、生活のかたち）というのは、少なくとも一朝一夕に出来上がるようなものではなく、また、ある日突然変えたり廃止したりできるようなものでもない。つまり、生活様式とは本来、「はい、今日からこちらでお願いします」と言われてすぐに順応できる種類のものではないはずだ。

加えて、「生活様式」という言葉は、個人が自分だけでつくり上げるこだわりのライフスタイルのようなものではなく、まさに「ある社会・集団に属する人に共通してみられる」ものを指すのだから、そこには当然、規範的な意味合いが含まれる。すなわち、ある社会に属する市民がみな身につけて実践すべき様式、あるべき生活のかたち、という意味合いである。

そして、「新しい」という表現にも問題がある。「新しい」という言葉が表す期間は、「当面の」とか「中期的な」といった言葉が表す期間とは根本的に異なり、特定の時点以降の特に限定のない広がりである。しかも、「新しい」というのは「古い」とか「旧来の」といったことと対比的な関係にあり、多くの場合、今後望ましいものを指す。しかし、感染対策として有効な種々の実践の多くは、私たちが進んで取り入れたいと望んでいるものではなく、仕方なく受け入れざるをえないものだ。

以上を総合すると、「新しい生活様式」という言葉は、「今後のあるべき望ましい生活のかたち」という意味合いで受け取るのが自然だ。しかし実際のところ、件の専門家会議が「新しい生活様式」の名で提示したのは、長くとも数年後には終息することを想定した（あるいは、それを目指した）中長期的な感染対策に過ぎない。つまり、内容と言葉が食い違っているのだ。

インパクトの強いキャッチコピーとして

この食い違いは、おそらく意図されたものだろう。たんに感染対策の具体例を羅列して提示するだけでは、インパクトが薄い。それらを敢えて「新しい生活様式」と呼ぶことによって、広告の目立つキャッチコピーのような機能をこの言葉が果たし、ひいては市民の大規模な行動変容につながることが期待されたのだと思われる。

もしそうであれば、この意図は成功を収めた。「新しい生活様式」という言葉は確かに社会の隅々に行き渡った。そして、なぜそのように成功し、この言葉が目立ったかといえば、ひとつには、言うまでもなくメディアで繰り返し使われたということもあるが、もうひとつには、この言葉が人々にショックを与えたということがあるだろう。それは、大抵の人々が恒久的な生活様式になるとは想定していなかったものが「新しい生活様式」と呼ばれた、というショックである。新型コロナ禍が終息するまでのあいだ我慢して従うべき感染対策と思っていたものが、「新しい生活様式」という名の下に括られたというショックである。

「新しい生活様式」の規範化が社会に落とす影

もちろん、「新しい生活様式」のなかには歓迎すべきものもあるという人は多いだろう。私も、職場の会議の多くは今後もずっとオンラインで開催してほしいと願っている。しかし、他の大半の「新しい生活様式」についてはそうではない。本来なら買い物はゆっくり楽しみたいし、居酒屋では人と向かい合って、心ゆくまで呑んで話したい。

そして肝心なのは、望もうと望むまいと「新しい生活様式」という規範に十全には従えない市民が数多く存在するということだ。たとえば、運輸・物流、通信・インフラ、医療、福祉、保育等々、いわゆる「エッセンシャルワーク（人々の生活に不可欠な仕事）」に従事する人々である。そもそも在宅勤務という形態が可能なのも、電気や水道等のインフラを維持管理している人々がいるからであり、食品の生産や加工、運搬に従事する人々がいるからであり、わが子を預かって保育してくれる人等々がいるからである。

また、客が直接足を運ぶことが十分な収益のために不可欠な場——飲食店、劇場、映画館、ライブハウス等々——にかかわる仕事に就く人々も、新型コロナ禍において大きな痛手を被っているが、十分な支援の手は差し伸べられていない。こうした業態は、敢えて言うならば「古い」生活様式に根差したものだ。しかし、それは裏を返せば、私たちの多くがこれまでずっと大切にしてきた生活のかたち——私たちの文化——の一部をこうした業態が支えてきた、ということにほかならない。

人の生き方を直接指図してはいないか

専門家が市民に向けて発信する言葉は、しばしば権威と権力をもつ言葉として機能する。当該の専門分野に関する知識をもたない市民にはその言葉の意味が摑みきれず、自分では使い方が分からない。にもかかわらず、行政やメディアを通じてその言葉を「理解」し、その言葉に従って行動することが暗に求められる。それゆえ、専門家の言うがままにその意味するところを受け入れ、その使い方を真似るしかない。

特に、医療や防疫、公衆衛生などの分野に関しては、その性質上、専門家の言葉はどうしてもパターナリスティック（父権主義的）になりがちだ。すなわち、「あなた方自身のためなんだ」というかたちで、その意志を問わずに介入し干渉するものになる傾向がある。そして、その種の言葉と促しは、国家的規模になると、それこそ全体主義を体現するものにもなりかねない。

これはなにも、感染対策を実施するかどうかは個人の自由であり、それぞれが好き勝手にやったりやらなかったりすればよい、などと言っているのではない。この国は少なくともいまのところは民主国家であり、法治国家であるはずだ、ということだ。

市民のさまざまな権利を制限することを含む「ロックダウン」（一八五頁参照）という方法も、本来なら平時のうちに、明確な法的根拠の下で導入が可能であるようにしておくべきものだ。そして、その種の法律の制定にあたって必要なのは、恣意的な運用や濫用を防止するための可能なかぎりの方策を検討することである。たとえば、

・権利の制限の対象や目的を、感染症拡大の防止に絞る
・制限する期間を、厳格に数字ベースで設定する

・制限の開始と解除の手続きをできるだけオープンで民主的なものにする

等々のことだ。こうした方策が、慎重な議論に基づいてしっかりと組み込まれた法律であれば、それを根拠として「ロックダウン」を実施することが可能であるべきだろう。

逆に言えば、そうした正当な根拠に基づかずに市民の権利が脅かされてはならない。まして、政府やその関係者が、市民の生活のかたちや、あるいは生き方というものを直接指図すべきではない。それは、自由で民主的な社会のあり方とは程遠い。

専門家と市民をつなぐ言葉

今回の新型コロナ禍において、防疫等の専門家の方々が果たされている役割と、そのための尽力には本当に感謝し、深い尊敬の念を抱いている。

ただ、前章第5節で取り上げた「濃厚接触」や「社会的距離」などの言葉にも見られるように、専門家と市民とのコミュニケーションにおける言葉の選び取り方や、その説明のあり方といったものについては、大きな課題があると言わざるをえない。これは、科学技術コミュニケーションやリスク・コミュニケーションといった分野にも深くかかわる問題であり、たとえば二〇一一年の福島原発事故にかかわる専門家と市民とのコミュニケーションにおいても課題となったものだが、残念ながら、現在に至るまで根本的な意味での前進は見られなかったということになる。

専門家が繰り出す言葉に市民が振り回され、やがて市民自身が振り回し始める、という構図は、以前から繰り返されてきたものだ。そうやって市民に影響を与えるための道具、すなわち、市民に特定の行動を指図して動かすための道具として言葉を捉えるなら、言葉の使用のルールや範囲を――つまり、言葉の使用の主導権を――特定の分野なり組織なりが握っていた方が都合がよい。その意味で、専門用語や、あるいは専門家が新たなキャッチコピーないしスローガンとして発信する言葉などは、まさに恰好の道具になる。しかし、そのように、特定の人々が権威や権力をもつ言葉が社会に行き渡ったとき、他の市民は、自分の生活の一部をよそよそしい言葉とその主人とに明け渡すことになる。まるで、身丈に合わない服を配給されて暮らすように。

たとえば、「ステイホーム」(家で過ごそう)という標語は、専門家と行政がともに力を入れて社会に広めた、感染対策のための行動変容を促す重要なメッセージだ。しかし、生活のなかで「ステイホーム」を難なく実践し、この言葉に馴染める人もいれば、そうでない人もいる。少なくともこの言葉が、帰るべき家がない、家庭内で虐待を受けている、長時間の外出が必要な仕事をしている、といったさまざまな事情をもつ人を考慮しない言葉であることは確かだ。「ステイホーム」という掛け声に皆で従おうというプレッシャーが社会で強まれば強まるほど、考慮しなければならないはずの事情が見えづらくなるし、異論も上げづらくなる。

物事の一面を強力に照らし出し、人々の見方をそこに向ける言葉は、スローガンとして効力をもちうるが、代わりに見えなくなるもの、自ずと抑えつけてしまうものも、不可避的に生じてくる。この点を私たちはよく注意しなければならないだろう。

言葉を歪曲することの弊害

最後に「新しい生活様式」という言葉に話を戻すなら、専門家の方々は、この言葉で生き方まで指図するつもりはなかった、と仰るかもしれない。しかし、そうであれば、たとえインパクトには欠けるものであろうとも違う言葉を用いるべきだった。専門の感染対策に忙殺されており、言葉を慎重に検討する余裕などないということであれば、この点に心を砕く有識者がチームに（あるいは、専門家と市民の間に）加わるべきだった。

言葉を通常とは異なる意味で用いることによって、たとえ一時的にはインパクトを得られても、ショックはやがて収まり、インパクトは消えていく。むしろ、言葉を曲げ、それが本来意味しているものとは異なる意味をそれに担わせる弊害の方が、遙かに大きい。

たとえば、「新しい生活様式」なるものがお上から降ってきて、それをパターナリスティックであるとか、全体主義的であるという風に感じて反発を覚えた人は少なくないだろう。そしてその反発は、敢えて従わない人を無駄に生むことにもなっただろう。また、従おうにも従えない人に、引け目や心苦しさを感じさせることにもなっただろう。そして、この「新しい生活様式」という言葉は、新しい規範に従わない人や従えない人を同調圧力の下に抑えつけ、市民の相互監視と私的制裁によって規範を維持する傾向を助長するものとして――いわゆる「自粛警察」にとっての錦の御旗として――働いてきた部分があったと思われる。

こうした社会のあり方が常態化すれば、それは私たちの間に深い分断と禍根と傷を残す。仮に感染拡大防止に多少の効果があったとしても、そのような状況は恥ずべきであり、避けるべきものだ。

4　「自粛を解禁」「要請に従う」――言葉の歪曲が損なうもの

既存の言葉の意味が急に変わる事態

二〇二〇年一月末に行われた東京大学大学院人文社会系研究科の入学試験において、私の所属する倫理学研究室が出した語句説明問題のひとつは、「三密」の意味を尋ねるものだった。もちろん、この場合の「三密」は伝統的な仏教用語のことである。古来この言葉は密教において、仏の身・口・意の三つの働き、あるいは、人間による同種の三業を指すものだった。しかし、そのわずか二カ月後に、この言葉――正確には「3密」――に全く異なる意味が与えられて社会全体に広まり、仕舞いにはその年の「新語・流行語大賞」の年間大賞に選ばれることなど、入試当時は想像もできなかった。

新型コロナ禍の前後で大きく意味合いを変えた言葉には、この「三密」や、あるいは「濃厚接触」(一八四―一八五頁)などのほかに、「緊急」や「緊急事態」という言葉も含まれるだろう。

最初の「緊急事態宣言」では社会に緊張感が行き渡ったが、その後同じ宣言が繰り返されるごとに、人々の行動変容をもたらす効力は薄まっていった。現在では、この宣言のいう「緊急事態」は、文字通り緊急の対策を講じなければならない大災害や大騒乱を意味するというよりも、多くの人にとってはたんに、商業施設の時短営業や休業が行われる不便な事態として理解されるものと化している。「緊急」や「緊急事態」という言葉の相貌は、いまや以前とは異なるものになっていると言えるだろう。

新型コロナ禍という世界規模の災厄の渦中で私たちは、既存の言葉をこれまでとは異なる意味で理解して使用することを急に迫られている。しかし、これは危険な傾向だ。大抵の言葉は、長い歴史や多様な生活の文脈を背景に成り立っており、関連するさまざまな言葉と連関しながら、私たちの生活自体を根底で支えている。にもかかわらず、あたかも自分たちの意のままにできる道具のように言葉を扱い、その意味を好き勝手にころころ変えてしまえば、私たちは自分の拠って立つ基盤を自ら深く損なうことになる。

「自粛を解禁」という誤用が意味すること

たとえば、一回目の緊急事態宣言が解除される頃から、多くのマスメディアで「自粛を解禁」という見出しや文言が躍るようになった。これは二重の意味で奇妙な言葉だ。

まず、「解禁」とは文字通り〈禁止が解かれること〉を指す言葉だ。たとえば「鮎漁を解禁」というのは当然、鮎漁の禁止が解かれ、鮎をとる行為が許されることを意味する。それゆえ、「自粛を解禁」だと、自粛の禁止が解かれること――つまり、自粛が許されること――を意味することになってしまう。

そして、さらに奇妙なのは、自粛とは、これも文字通り〈自《みずか》ら進んで行動を粛《つつし》むこと〉を意味するということだ。つまり、自粛している事柄は、そもそも禁止が解かれる対象ではないのである。

とはいえ、こうした誤用にはそれなりの背景もうかがえる。新型コロナ禍において、国や地方の行政府は、感染拡大を食いとめるためのさまざまな「自粛」を市民に対して「要請」してきた。しかし、それは現実には、しばしば強い圧力を伴う「命令」の様相を呈している。実際、これまで大臣や知事、市長といった立場の人々からは、「自粛を徹底させる」、「自粛の要請に従ってもらう」、「要請を守らない場合には」といった言葉が平然と発せられてきた。言うまでもなく、「要請」には応じるものであって、人が従ったり守ったりするのは「命令」であるにもかかわらず。

つまり、いま政治や行政の場では「自粛」という言葉が「禁止」の意味にねじ曲げられ、「要請」という言葉が「命令」の意味にねじ曲げられている、ということだ。自粛しているはずの事柄に対する「解禁」という誤用は、こうした歪曲がもたらしたひとつの結果として捉えうる。

「自粛」という言葉とは裏腹に事実上禁止や制限をされている状態から解放されたいと願う人々は、緊急事態宣言が解除される随分前から、SNSなどで自然と「解禁」という言葉を多用していた。我慢に我慢を重ねる生活のなかで、解禁というこの言葉こそが、自分の気持ちに何よりもぴったり合うものだったからだろう。その意味で「自粛を解禁」という誤用は、人々を取り巻く異様な社会状況や、それにまつわる微妙な心模様を反映し、それらを自ずと露わにするものだったと言える。他方、マスメディアは、人々のそうしたやむにやまれぬ誤用を漫然と反復してしまった。しかし、その本来の役割は、「自粛」や「要請」の歪曲を、その原因も含めて批判することであったはずだ。

市民に対して移動や経済活動などの制限を課すための基準、その際の補償のあり方など、この国においていまだ煮詰まっていない課題は多く、重い。これらの点に関して議論も制度も運用も十分ではない現状をやり過ごすために、自粛と禁止の境界を不明確にし、要請と命令の境界を不明確にしてしまえば、その曖昧な領域で私的制裁が蔓延《はびこ》るだけではなく、「自由」という、私たちがいま暮らす社会の基盤にあるはずの概念自体に綻《ほころ》びが生じてしまう。なぜなら、「自粛」が「禁止」ではなく、「要請」が「命令」ではないというのは、まさに「自由」という言葉の意味に含まれる事柄だからである。

公共的な空間で常態化する、言葉の意味の「変更」

言葉の意味や用法というのは、私たちの社会や生活にとって些末なものでは全くない。むしろ、その生命線であり、急所でもある。新型コロナ禍における言葉の歪曲はこのことをはっきりと私たちに示すものだが、それ以前から、言葉の意味の恣意的な「変更」は、政治をはじめとする公共的な空間で常態化していた。

たとえば、「遺憾に思う」という言葉は現在、政治やビジネスをはじめとするさまざまな場面で常套句として流通している。この「遺憾」という言葉は本来、「思い通りにいかず心残りなこと。残念。気の毒」（広辞苑 第七版）を表すはずなのだが、自分の行いを後悔し、申し訳ないとはっきり詫びるべき場面でも濫用されている。

同様に、第二章でも取り上げた「不徳の致すところ」（一五一頁）という常套句は、自分に徳が足りなかったと言っているに過ぎないにもかかわらず、自分が何をしたことが悪いのかを明確に語るべきところで乱発されている。こうした、言葉とそれを用いるべき文脈との乖離には、謝罪すべき主体が誰なのかや、謝罪すべき内容が何なのかをぼやかして、責任の所在を曖昧にする意図が働いていると言えるだろう。

　ほかの例も挙げてみよう。二〇一七年四月一九日、安倍《あべ》晋三《しんぞう》首相（当時）は衆議院法務委員会で、「「そもそも」の意味を辞書で調べると「基本的に」という意味もある」と答弁した。言うまでもなく、この「そもそも」という言葉は、「そもそも狂言というものは……」とか、「私がそもそも始めたことだ」という風に、「改めて事柄を説き起こすことを示す」（日本国語大辞典 第二版）際に用いられ、「最初」や「起こり」などを指す言葉であって、「基本的に」という意味などない。したがって当然、方々から疑問や批判の声が挙がったのだが、政府は五月一二日の閣議において、「「そもそも」には辞書で「（物事の）どだい」という意味があり、「どだい」には「基本」の意味がある」として、先の首相の答弁を正当化する答弁書を決定した。この、「どだい」を間に挟んで「そもそも」と「基本的に」という言葉の意味を同じだと閣議決定する事態に対しては、翌日の毎日新聞が、「文法的に「どだい」無理」という見出しを掲げた皮肉の効いた批判を展開している。[1]

また、学校法人「加計学園」の獣医学部新設をめぐる問題に絡み、二〇一七年五月一七日の記者会見において菅義偉官房長官（当時）は、「総理のご意向」という文言が記された政府内の記録文書を「怪文書」と評した。後に、文書が実在することが確認されると、菅官房長官は同年六月一六日の記者会見で、「怪文書」は「不可解な文書」という意味で使ったと釈明した。しかし、これも言うまでもなく、「怪文書」とは「他人を中傷し、世間をさわがせるような、出所不明の文書」（日本国語大辞典 第二版）として一般に用いられてきた言葉であり、「不可解な文書」という意味などない。

さらに、二〇二〇年一月二八日の衆議院予算委員会で安倍首相は、自身が主催していた公的行事「桜を見る会」への参加を呼びかける文書が、自身の事務所から地元有権者に送られていた件について問われると、「私は、幅広く募っているという認識だった。募集しているという認識ではなかった」と答弁した。募ったが募集はしていない、とはいったいどういう状況を意味するのだろう。

さらにまた、二〇二一年九月二七日にデジタル庁は、同庁トップの平井《ひらい》卓也《たくや》大臣（当時）がNTTとの会食費用を事後的に割り勘にしたと発表した。[2] 平井大臣はそれまで、同費用について「割り勘としてきっちり払った」と説明してきたが、実際には、会食から半年が経過し、『週刊文春』の記者から接待について取材を受けた直後にNTT側に支払ったことになる。[3] それでもその行為は「割り勘」であるという、デジタル庁によるこの不思議な言語使用は、不法な報酬を受け取っても後で返せば収賄にならないとか、物を盗んでも後で返せば窃盗にならないといったナンセンスな物言いと、いったいどこが違うのだろうか。一度したことは取り返しがつかない、という当たり前の指摘に、どう答えられるのだろうか。

『鏡の国のアリス』の世界にしないために

まるで、『鏡の国のアリス』の世界に迷い込んだかのようだ。この物語のなかで、ハンプティ・ダンプティとアリスは次のような問答を行っている。

「……どうじゃ、まばゆいじゃろう！」
「どういう意味で「まばゆい」っておっしゃったのか、わからないんですけど」と、アリスは言いました。

ハンプティ・ダンプティは、ばかにしたように、にやりと笑ってみせました。「そりゃ、わからんに決まっとる——わしが言わんかぎりはな。その意味はじゃ、「反論の余地なくものの見事にやられてしまった」ということじゃよ！」
「でも、「まばゆい」には、「反論の余地なくものの見事にやられてしまった」なんて意味はありません」と、アリスは反対しました。
「わしが言葉を使うときには」と、ハンプティ・ダンプティは、鼻であしらうように言いました。「その言葉は、わしが決めただけのことを意味するんじゃ——それ以上でも、以下でもなくな。[4]」

重要なのは、ここで展開されているやりとりはナンセンスなユーモアであり、ハンプティ・ダンプティは不条理なことを言っている、ということだ。私たちはここで、くすくすと笑ったり、不思議な気分を味わったりするのであって、彼の主張を大真面目に受け取ったりはしない。もちろん、言葉の意味は時代によって移ろう部分もあるが、それとこれとは話が全く違う。言葉の意味は、王様であれ首相であれ、特定の誰かが急に好き勝手に変えられるようなものではないのだ。

もしもハンプティ・ダンプティのでたらめな言い分を認めてしまえば、人は自分の言葉に責任をもたずに済むようになる。というのも、たとえば「あなたはあのとき○○と言ったじゃないか」と言われても、「そのとき私は○○という言葉を××という意味で言ったのだ」と答えて有耶無耶にすることが、常に可能になるからだ。そうなれば、話を聞く側も、相手の言葉を真面目に受け取って応答するという、アリスが行っているような努力を放棄せざるをえない。

同様に、「募ったが募集していない」とか「半年後に割り勘にした」といったナンセンスな物言いが社会にまかり通り、そうした意味の壊れた言葉によってその場を切り抜けることが許されるとすれば、人は何ごとに対しても責任をとらずに済むことになり、まさに何でもありになってしまう。そして、それ以前に、言葉自体が安定した意味をもちえなくなってしまう。

言葉がねじ曲がり、壊れることは、そのまま、言語的なコミュニケーションが不全に陥ることを意味する。言葉を雑に扱わず、その意味や用法に心を配り、自分の言葉に責任をもとうと努めることは、言葉とともにある私たちの社会や生活を支える基礎でもあるのだ。

1　二〇一七年五月一三日付、毎日新聞朝刊三一面

2　二〇二一年九月二七日付、共同通信配信記事「NTT接待、平井氏が事後的に割り勘」(https://nordot.app/815065560086609920)

3　二〇二一年九月二八日付、時事通信配信記事「週刊誌の取材依頼後に支払い　NTT接待――平井デジタル相」(https://www.jiji.com/jc/article?k=2021092800660&g=eco)

4　キャロル『鏡の国のアリス』、訳・脇明子、岩波少年文庫、二〇〇〇年（原典初刊：一八七一年）、一五〇―一五一頁

5 「発言を撤回する」ことはできるか

行為を取り消すことなどできない

ある人が公の場で発言したことに対して、「不適切」とか「差別的」といった批判が方々から向けられ、後日、語った当人が「発言を撤回します」と釈明する——これは、とりわけ「言論の府」たる議会をはじめとする政治の世界でいまよく見られる光景だ。

しかし、「発言を撤回する」という言葉は奇妙ではないだろうか。「撤回」とは言うまでもなく、「一度出したものを取り下げること。言い出した事柄を後になって引っ込めること」（日本国語大辞典 第二版）を指す。たとえば、「処分を撤回する」という場合に意味されているのは、誰彼を処分する予定だったが、その予定を取り消す、といったことにほかならない。また、「前言を撤回する」という、以前からある普通の言い回しも、以前言い出した事柄——つまり、将来の構想や自分の考えなどの内容——を撤回するという意味だ。たとえば、かくかくのことをしますと以前は言ったが、事情が変わったのでその計画は取り止めることにした、とか、しかじかの考えを以前に述べたが、それは誤りだと思い直したので取り下げる、といったことを表明するときに、「前言を撤回する」という言葉が用いられる。

しかし今日《こんにち》、「発言を撤回します」という釈明がなされる場合にはしばしば、文字通り、発言を撤回するということ、すなわち、発した言葉を引っ込めるということが意味されている。まるで、議事録から発言の記録そのものを削除するように、以前自分が発した言葉を後から取り消します、と言っているわけだ。そしてもちろん、そんなことは不可能だ。たとえば、相手を殴りつけた後に、「いまの殴打を撤回します」と言っても、せいぜいたちの悪い冗談にしかならない。してしまった行為を後から取り消すことなどできない。そして、本書の第一章第1節ですでに確認したように、言葉を発することも「行為」ないし「活動」の一種にほかならない。

発言はひとつの行為である

哲学者の大森荘蔵《おおもりしょうぞう》（一九二一―一九九七）は、自身の代表的な論考のひとつ「ことだま論」[1]において、この最後のポイントを強調するために、「言い振り」とか「声振り《こわぶり》」といった表現を編み出している。

> 五体の動きを「体振り」と言うならば、視線の動きは「視振り」であり、声の動きは「言い振り」または「声振り」と言うことができよう。（同一五九頁）

> ……慣習に従って声振り、それに従って触れられる、その行為が「言葉」なのである。（同一六四頁）

私たちは日々、手や足などを使うのと同様に、声を使って相手に働きかけている。それは紛れもなく身振りの一種――「言い振り」、「声振り」――であり、行為の一種である。この大森の論点は、ウィトゲンシュタイン（本書九、二四頁参照）やJ・L・オースティン（一九一一―六〇）といった、日常言語の用法を重視した哲学者たちの議論に連なるものだ。たとえばオースティンの『言語と行為』[2]は、発話の行為遂行的《パフォーマティブ》なありようを緻密に分析した現代の古典として名高い。

言葉を発することは、それ自体がひとつの行為である。この、言われてみれば当たり前のことを、彼らのような哲学者がことさらに言い立てる必要があるのは、この点が実際にしばしば忘れられがちだからだ。たとえば、生活を送るうえでの単なる道具として――記録や報告や伝言のための手段に過ぎないものとして――言葉を捉えるとき、私たちは得てして、言葉が何よりも人を癒やしたり励ましたりしうること、また逆に、ときにどんな暴力よりも人を傷つけたり恐怖を与えたりすることを忘れてしまう。

自らの言葉に責任をもつということ

昔から、「吐いた唾は呑めぬ」ということわざがある。一度口から出した言葉はもう取り消すことができない（だから、注意してしゃべるように）という意味だ。しかし、ときに政治家などは、「吐いた唾を呑みます」という意味で、「発言を撤回します」と言い放っている。これは、それこそアリスが迷い込んだような世界でしか通用しないはずのナンセンスな台詞だが、自分の言葉に責任を負わず、有耶無耶にして切り抜けるためには、むしろそうした言葉もどきの方が好都合なのだ。

もしも、自分の発言がたとえば事実の誤認に基づいていたのであれば、そのままそう言えばよいだけの話だ。「かくかくという私の認識は誤りでした。しかじかの通り訂正します」と認めることが、人が当然すべき「声振り」である。しかし、「発言を撤回します」という言葉が「口に出した言葉を取り消す」という意味で用いられ、その歪んだ言葉を私たちが拒絶せずに受け入れてしまうのであれば、人は自分の言葉が意味していたはずの認識、考え、構想といったものの誤りを認めなくてよいことになる。自分が何を言ったかに向き合い、それに対して相応の責任を負う必要がなくなる。「言い方が悪かった」という風に当該の言葉遣いだけを訂正して、後は適当に言葉を濁せば済んでしまう。そしてそうなれば、本書の一四〇頁や二四七―二四八頁でもすでに言及した通り、相手の言葉を真面目に受け取って、それに応答するという、対話の基礎が壊れてしまうことになる。

　これが「鏡の国」や「不思議の国」の話であれば別にいい。本を閉じればその世界は消えてなくなる。問題は、いま私たちはナンセンス文学を愉しんでいるのではなく、自分たちが暮らしている現実の社会で、この種の状況にたびたび直面しているということだ。しかも、それは往々にして、言葉が最も重視されるべき場で起こっている状況なのである。

1　大森荘蔵「ことだま論」、『物と心』、ちくま学芸文庫、二〇一五年（初刊：一九七六年）
2　オースティン『言語と行為』、訳・飯野勝己、講談社学術文庫、二〇一九年（原典初刊：一九六二年）

6　型崩れした見出しが示唆する現代的課題

「藤井二冠を殺害予告疑いで追送検」？

あるとき、「藤井二冠を殺害予告疑いで追送検」という見出しが各種ニュースサイトに躍ったことがある。思わずぎょっとしたが、実際の記事の内容は、将棋の藤井聡太二冠（当時）が誰かの殺害予告を行ったのではなく、藤井二冠に殺害予告を行った者が追送検された、という内容だった。

そのおよそ十日後には、「列車が人と接触して死亡」という見出しがテレビニュースで流れた。列車が「死亡」するわけがないから、この見出しが言わんとすることは分かる。ただ、うまく頭に入ってこない奇妙な文章であることは確かだ。

さらに、その三日後には、「14人感染、さいたまの中学生など　1人死亡」という見出しをある新聞が掲げていた。ついに十代の若者からも新型コロナウイルス感染症による死亡者が出てしまったのかと驚き、実際に記事を読んでみると、死亡したのは中学生ではなく、六〇代の男性だった。

ほかにも数え上げればきりがないが、これらの見出しに共通の問題点は、言葉遣いが拙いがゆえに誤解や混乱を招いているということだ。たとえば、冒頭の「藤井二冠を殺害予告疑いで追送検」という見出しは、「を」を「の」に置き換えるだけで、つまり、「藤井二冠の殺害予告疑いで追送検」とするだけで、誤解を避けることができる。

また、「列車が人と接触して死亡」という見出しも、「列車」と「人」を入れ替え、「人が列車と接触して死亡」とすれば、文章のおかしさは改善される。ただ、見出しとしてはまだ十分とは言えない。なぜなら、列車と接触することによる死亡がニュースとなるのは通常は人のみだからだ。つまり、死亡したのが人であれば、わざわざ「人が」と書く必要はない。それゆえ、見出しのごく限られた文字数を埋めるべきはこの二文字ではなく、別の情報をもたらす言葉だろう。

「14人感染、さいたまの中学生など　1人死亡」という見出しについてはどうだろうか。この見出しの最大の問題は、「さいたまの中学生」と「1人死亡」という語句が隣接していることだ。人には、最も近い距離にある言葉同士を意味的に連関させようとする自然な傾向がある。そのため、私たちはこの見出しを読むと、さいたまの中学生が死亡したとまず理解するのである。それゆえ、この二つの語句の距離を遠ざけて「さいたまの中学生など14人感染　1人死亡」などとすれば、誤解の余地は少なくなるだろう。しかし、そのように改善したとしても、この見出しは散漫な印象を与える。中学生の感染に注目しているのか、それとも感染者数なのか、あるいは死亡者の存在なのか、焦点が明確でないからだ。

いまの私たちに特に必要な言葉の技術

私が危惧の念を覚えるのは、いわゆる「てにをは」がなっていない見出しが、報道の場でこれほどの頻度で出現しているということだ。マスメディアは言葉を武器に公権力とも対峙すべき機関だが、誤解や混乱を招く表現を多用してしまっては、自らの言葉への信頼を失うことにもなりかねない。とはいえ、こうした言葉の型崩れはマスメディアに限った話ではない。同様の拙い表現は、学生が書くレポートであれ、無数に行き交うメールであれ、絶え間ないＳＮＳへの投稿であれ、私たちが普段触れる文章のなかに溢れている。

もちろん、過去の人々は皆「てにをは」が整った文章を書いていた、と言うつもりはない。これまでも拙い表現は無数に流通していたはずだ。しかし、いまの時代、言葉の型崩れの弊害が以前より大きくなっているのも確かだろう。なぜなら、情報収集が主にインターネットを用いたものとなり、普段の生活のなかにSNSや電子メール上のコミュニケーションが浸透している現在、私たちは日々、十分なコンテクストなしに短い文章を書いたり解釈したりすることを強いられているからである。

たとえば、いま私たちの多くはニュースをインターネット上でチェックしているが、まず目に飛び込んでくる文字は見出しのみであり、それをクリックする手間をさらにかけなければ、具体的な内容を——つまり、見出しの言葉の背景となるコンテクストを——知ることができない。だからこそ、見出しによるミスリードという事態も頻発してしまう。(特にネットニュースには、意図的に誤解を誘ってクリックさせようとしている悪質なものも多い。)

また、SNSの空間においても、投稿した文章が前後の文脈から切り離されて拡散され、誤解を呼び、いわゆる「炎上」を引き起こすことは日常茶飯事だし、簡潔な伝達を旨とする電子メールのやりとりのなかで、言葉の意味の取り違えからトラブルが生じることも珍しい話ではない。

以上のことから言えるのは、短くとも誤解や混乱を招きにくい文章を書く技術が、いま私たちにとってかなり重要性を増しているということだ。この技術は、自分の意図を正確かつ効果的に他者に伝えることに資するだけではなく、誤解や混乱を招きやすい文章に対して敏感になり、それを注意深く読むことにも直結するだろう。

7　ニュースの見出しから言葉を実習する

簡要な文章の教師（および反面教師）としての見出し

前節の最後で、短くとも誤解や混乱を招きにくい文章を書く技術の重要性を強調した。では、この技術の中身を具体的に理解し、それを磨くには具体的にどうすればよいのだろうか。

そのひとつの足掛かりは、ニュースの見出しをめぐる問題からまさに見出せるように思われる。見出しは、ごく限られた文字数によって、ある出来事の要点を表現しなければならない。したがって、よい見出しをつくろうとするなら、当該の出来事のどこに着目して伝えるか、そして、そのためにどういった語彙を用いるか、どう語句を並べるか、助詞をどう使うか、読点をどう打つかなど、言葉を選び言葉同士を結びつけるための諸々の技術を最大限に発揮する必要がある。

このことを、新聞編集者として見出しの作成やチェックに長年かかわってこられた長谷川学さんによる連続エッセイ「ニュースの職人たれ 新聞編集者」[1]を通して確認してみよう。

このエッセイにおいて長谷川さんは、新聞のさまざまな見出しを取り上げて具体的な吟味を行っている。その一例が、ある大きな災害を報じる朝日新聞の紙面だ（図1）。この紙面のメインカット（主見出し）には、「21河川決壊 29人死亡」という文言が入り、二番目の見出しには「台風19号 14人不明」、三番目の見出しには「東日本広域で浸水被害」と記されている。

21河川決壊 29人死亡
台風19号 14人不明
東日本広域で浸水被害
なお全容把握できず

図1　2019年10月14日付朝日新聞一面（東京本社版）

長谷川さんはこの見出しについて、まず、「21河川決壊」と「29人死亡」を同時に並べたことで、決壊と死亡者数に直接の関係があるように読まれる余地を残してしまった、と指摘している（「ニュースの職人たれ 新聞編集者――上」、七七頁）。実際には決壊だけではなく土砂崩れや道路崩壊によって命を落とした人もいるから、そういう風に読まれるとすれば、この見出しはミスリーディングだったことになる。

また、長谷川さんが指摘するのは、不明者の数が二番目の見出しに入ったことによって、人的被害の深刻さが正確なかたちで伝わりづらくなっているという点だ。実際、被害人数をメインカットに取った当日のほかの新聞はすべて、死亡者数と不明者数を同時に見出しに取っていたという（同頁）。

見出しは物事の一側面に焦点を当てる

見出しは文字数が非常に限られているため、現実の事件や事故が含む多様な側面をすべて反映させることは当然できない。それゆえ自ずと、現実の一側面に焦点を当てることになる。この点を長谷川さんは、朝日新聞編集センター（新聞紙面のレイアウトや見出しなどを担う部署）の研修資料を用いて示している。まず、次の記事を眺めてみよう。

> 千葉県警捜査2課の警部補（58）が、30年間にわたり土地の売買をめぐって友人をだまし5億円を受け取っていたとして、詐欺容疑で逮捕された。調べでは、警部補は多額の借金を抱え、その返済に充てていたらしい。県警では、先日も収賄事件があったばかりだった。

友を30年だます
詐欺容疑で警官を逮捕
▲いつ

千葉県警またも
詐欺容疑で警官を逮捕
▲どこで

警官が詐欺容疑
千葉県警が58歳を逮捕
▲だれが

土地売買で詐欺
容疑の警官 千葉で逮捕
▲なにを

詐欺容疑で逮捕
千葉県警の58歳警部補
▲どうした

借金返せず犯行
詐欺容疑で警官を逮捕
▲なぜ

5億円詐取容疑
千葉県警の警官を逮捕
▲どのくらい

図2　朝日新聞編集センターの研修資料から（「ニュースの職人たれ 新聞編集者――上」、78頁）

この事件が起こった時間、場所、主体、対象、行為、理由、程度のどれに着目するかに応じて、この記事につける見出しも変わってくる。**図2**のような具合だ。

こうした見出しの特性は、良きにつけ悪しきにつけ、社会に対してときに大きな影響を及ぼしうる。長谷川さんが挙げている例は、二〇〇六年一二月九日付の朝日新聞朝刊一面（東京本社版）で、「ホワイトカラー・エグゼンプション」の導入を含む労働法制見直しの記事に打たれた「残業代ゼロ労働導入」という見出しである。

当該の記事のなかには「残業代ゼロ」という言葉自体はなく、また、この日以前の主要な新聞に、「残業代ゼロ」という見出しが取られた例はなかった。つまり、記事の要点を示すものとして、新聞編集者が知恵を絞って考えた言葉だということである。そして、この日以降、「残業代ゼロ法案」などの言葉が各紙に頻出するようになり、それと同時に関連法案に対する世論も厳しさを増していき、最終的に、当時の法案の提出は見送られることになった。この結果には、多かれ少なかれ、「残業代ゼロ」という見出しの影響があったと言えるだろう（「ニュースの職人たれ 新聞編集者――中」、八三―八四頁）。

どこまで言葉を削れるか

見出しは、事柄の特定の側面に焦点を当て、しかもそれを端的に、シンプルに提示しなければならない。漫然と言葉を連ねれば伝えたいポイントが見えづらくなるから、真に必要ではない言葉はできるだけ削り、まさにポイントのみを浮かび上がらせる必要がある。ただ、言葉を減らせば誤解の危険性は当然増える。誤解の余地を残さない程度のぎりぎりの線を探ることが、見出しの作成には求められるわけだ。

たとえば、長谷川さんが適切な見出しの例として挙げているのは、「園児の列に車 2児死亡」という、朝日新聞紙上で実際に打たれた見出しである。これは、大津市で二〇一九年五月に起こった、園児の列に車が突っ込んで死傷者が出た痛ましい事故を伝えるものだが、「突っ込んだ」という事実を表す言葉を欠いている。しかし、それが無くとも読者は、車がどうなったのかすぐに想像できる（同八一頁）。それよりも——つまり、「園児の列に車が突っ込む」という見出しにするよりも——、二名の園児が亡くなってしまったという事実の方が重要であると、この見出しを作成した新聞編集者は判断したのだろう。

東日本大震災
M8.8 世界最大級 大津波
震度7 死者・不明850人超

図３　2011年３月12日付朝日新聞一面（東京本社版）

　長谷川さんは、こうした言葉の彫琢のひとつの極点を、二〇一一年三月一一日に東日本を襲った大災害を報じる見出しに認めている（同八二—八三頁）。**図3**の見出しだ。

　同日の他紙一面の見出しは、「東日本で巨大地震」、「東日本 巨大地震」、「東北で巨大地震」、「地震津波 死者千人超す」といったものであり、助詞やスペースなどを用いて何ごとか状況を説明するものになっている。これに対して、「東日本大震災」という見出しは、文字間のスペースすらなく、まさにこの災害を命名するものになっているのが特徴だ。実際これが、主要メディアで「東日本大震災」という言葉が最初に使われた事例だという（同八三頁）。

「言葉の実習」としての見出しの検討

見出しというものの奥深さをこうして見てみると、良い見出しについて検討することは、短くとも誤解や混乱を招きにくい文章を私たちが書くための、打ってつけの実習になるように思える。

それこそ学校現場では、見出しを用いた文字通りの実習がさまざまに可能だろう。たとえば学生や生徒に、実際の記事と、それに付けられた「まずい見出し」の例を与える。そして、その見出しのどこをどう変えれば改善されるのかを話し合ったり、各自で見出しの修正に挑戦したりしてもらう、という実習が考えられる。言葉を足して修正するということができない分、これは、語句の配置や選択によってどのような変化が生じるかによく目を向け、その点を踏まえた文章を自分で構築するための、よい訓練になるだろう。また、この実習はそのように「てにをは」の技術や語彙の強化になるだけではなく、現実の多面性を意識し、ある側面を焦点化することで別のどの諸側面を切り捨てることになるのかを、身をもって体験する場にもなるはずだ。

「見出しの実習」は、ほかにもさまざまなやり方が考えられる。既存の見出しの修正を行うだけではなく、十五字の見出しを十字に減らすといった課題もありうるし、ニュースを素材に全くゼロから新しい見出しを（しかも複数）つくる、というのも良いだろう。あるいは逆に、見出しの方を題材にし、そこからニュースの内容を自由に想像して記事を書いてみる、という実習も可能だ。それは、単純に文章を書く練習や物語を構成する練習になるだけではなく、特定の単語や文章から私たちがどのような事柄を想定しがちなのかを、身をもって確かめる経験にもなるだろう。

母語を学び直すことの重要さ

そして、この種の「実習」はもちろん、学校という場にかぎらず、ニュースの見出しに触れる読者や視聴者一人ひとりがその場で行えることでもある。奇妙な見出しや誤解を招く見出しに出くわしたとき、なぜ自分がそういう印象を受けるのか、言葉をどう変えればよくなるのかを少し考えてみるだけでも、語の配置などについてのさまざまな発見が得られ、言葉の使い方に対する感度を高める効果がもたらされるだろう。

学生や生徒であれ、いわゆる「社会人」であれ、母語をいったん習得すれば言葉について学ぶ必要がなくなるわけでは全くない。むしろ、十分なコンテクストを欠いた短文によるコミュニケーションに日々追われている私たちこそ、言葉をよりよく用いるための実践的な学習――言うなれば、「言葉の実習」――があらためて必要なのである。

1 長谷川学「ニュースの職人たれ 新聞編集者――上 価値判断と言葉」、『月刊Ｊｏｕｒｎａｌｉｓｍ』二〇一九年一二月号、朝日新聞社、二〇一九年、七五―八一頁
――「ニュースの職人たれ 新聞編集者――中 10字の勝負」、『月刊Ｊｏｕｒｎａｌｉｓｍ』二〇二〇年一月号、朝日新聞社、二〇二〇年、七八―八五頁

8 「なでる」と「さする」はどう違う？

母語の言葉にあらためて注意を傾ける

カール・クラウスという人物については前章でも触れたが（一七七頁）、彼は、その生涯を通じて「言葉の実習（Sprachlehre）」と題したエッセイを発表し続け、母語の言葉にあらためて注意を傾けることの重要性を説き続けた。たとえば、「zumuten（求める）」と「zutrauen（期待する）」の違い、「nur noch（もはや～しかない）」と「nur mehr（いまやただ～しかない）」の違いなど、個々の言葉の微妙なニュアンスを、比較や例示などを通して具体的に浮き彫りにしていく作業を続けたのである。その一連の「言葉の実習」は、彼の死後に公刊された言語論集『言葉』[1]にまとめて収録されている。

国語辞典の語釈の再検討という仕事

前節では、ニュースの見出しを題材にした「言葉の実習」の可能性に言及したが、クラウスが取り組んだ類いの実習を日本語に関して行うことも、もちろん可能だ。たとえば、三浦しをん著『広辞苑をつくるひと』[2]の第1章には、その種の「言葉の実習」に該当する恰好の事例を見出すことができる。

同章には、『広辞苑』第七版の編纂にかかわる改訂作業、とりわけ、語釈（語句の意味の解釈と説明）の再検討に携わった人々に取材した内容が収められている。取材対象は、動詞の語釈を担当した、日本語学が専門の柏野和佳子《かしのわかこ》さんと田嶋明日香《たじまあすか》さん、英語学が専門の平本智弥《ひらもとちや》さんの三人のチームだ。

このチームによる再検討の俎上に載った問題のひとつが、「見極める」と「見定める」の違いだ。まず、改訂前の『広辞苑』第六版の語釈を見てみよう。

> 「見極める」：
> ①最後まで見とどける。 ②事理の奥底をきわめる。本質をはっきりとみる。「原因を―・める」 ③真偽を鑑定する。
>
> 「見定める」：
> 見てそれときめる。それと確かめる。見きわめる。「正体を―・める」

これでは、「見極める」と「見定める」の違いがよく見えてこないほか、「見定める」の語釈があっさりとし過ぎている。チームのひとり平本さんは、この二つの類似した動詞の違いを思案し、「「見極める」は「見定める」に比べ、対象物への意識の向けかたが少し強め。また、決定・判断にいたるまでのプロセス（時間の経過）が少し長め。徹底性にちがいがある」（同書二三―二四頁）という点を見出す。こうした観察に沿って彼女が提出し、実際に『広辞苑』第七版に採用された改訂案が以下のものだ。

「見極める」：
①最後まで見て、どうなるかを確かめる。「勝負の行方を―・める」②十分に見つめ、その真偽や価値などについてはっきりと判断をつける。「事故の原因を―・める」「本物か否かを―・める」
「見定める」：
十分に見て、確かにそうであると判断する。「人生の目標を―・める」「誰もいないことを―・める」

「こする」「する」「さする」「なでる」の違いを炙り出す

ほかに、「こする」「する」「さする」「なでる」などの語釈を再検討するのも、このチームの役割だった。それぞれ、第六版における語釈の一部をまず見てみよう。

「こする」：おしつけて摩擦する。すりみがく。
「する」：物と物とを力をこめて触れ合わす。こする。
「さする」：軽くこする。
「なでる」：手のひらでやさしくさする。

この語釈では、「こする」と「する」と「さする」の違い、また、「さする」と「なでる」の違いが分からない。田嶋さんはそれぞれの意味の違いについて、検討メモに次のようにまとめている。

「こする」は、「背中をごしごしする」など、繰り返し触れあわせる場合と、「車を電柱でこする」など、押し当てたまま動かす場合がある。

「する」は、「マッチをする」など、強い力で一度触れあわせる場合と、「墨をする」など、何度も触れあわせる場合と、「転んで膝をする」など、固いものに押しつけて傷を負う場合がある。そして「こする」よりも、触れあわせたものの一方が損傷・減少している。……

「さする」は、痛みや寒さの緩和のために行う。手のひらを使う。反射的に動かす。必ずしも軽いわけではなく、力をこめて行う場合もある。「体調の悪いひとの背中をさする」など、いたわる気持ちがあり、「こする」よりも「なでる」に近い。

「なでる」は、指さきや毛を使用した道具などを使うこともあるが、主に手のひらを使う。一度あるいは数度動かす程度で、「さする」「こする」ほどの反復感はない。触れる対象の形をなぞるように行う。（同書二一七―二一八頁）

こうした検討の積み重ねから、田嶋さんが導き出した新たな語釈は次のようなものだ。

「こする」：物と物とをぴったりとつけて、繰り返し触れ合わす。押しつけたまま動かす。摩擦する。

「する」：物と物を（欠けるほどの）力をこめて一度、または繰り返し触れ合わす。

「さする」：（痛みや寒さをやわらげるために）手のひらを軽く押し当てて、前後または左右に何度も動かす。なでる。こする。

「なでる」：手のひらなどで優しく触り、形に添って一度または何度か動かす。

「炒める」とは何をすることなのか

私が特に面白く感じたのは、「炒める」の語釈の再検討だ。改訂前の第六版では、この言葉はこう説明されている。

「炒める」：
食品を少量の油を使って加熱・調理する。「ほうれん草を―・める」

この語釈は明らかに不十分なものだ。これでは「焼く」との違いが全く見えない。「炒める」とは何かをめぐる田嶋さんの探究の過程を描く、三浦しをんさんの筆致を追ってみよう。

田嶋さんは、「炒める」の真髄を見極めるべく、メモ帳を携えて日々炒め物を作りまくった。……料理をしていないときも、エアフライパン片手に、「炒める」動作をしまくった!

田嶋「そうするうちに、「炒める場合、ひとかたまりの食材ではなく、細かく切ってあることが多いな」とか、「焼く場合よりも、食材を動かすよね」といったことがわかってきました。……ただ、「炒める」際の動作を、短い文章でどう表現したらいいのかが、また難問でして。……「かき混ぜる」という言葉を使うと、どうしてもスクランブルエッグとかのイメージになっちゃうかなと。」

悩みに悩んだすえ、ついに田嶋さんに天啓が降ってきた。(同書三二—三三頁)

どのような天啓が降ってきたのか、それは、第七版に採用された以下の「炒める」の新語釈を確認すれば一目瞭然だ。

「炒める」：
熱した調理器具の上に少量の油をひいて、食材同士をぶつけるように動かしながら加熱・調理する。「ほうれん草を――・める」

つまり、「食材同士をぶつけるように動かす」という、炒める行為の重要な側面が見出され、表現を得たことによって、語釈が以前よりも遥かにアップグレードされたわけだ。

言葉を言葉で表現することでもたらされうるもの

以上の語釈再検討の実践には、重要なポイントがさまざまに含まれている。

まずもって、「炒める」や「なでる」といった言葉は、私たちの生活に相当深く根を張っている言葉だ。つまり、私たちは日々の生活で、これらの言葉を使いこなし、これらの行為を繰り返しているはずだ。ただ、それでも、ここまで見てきた語釈によってはじめて気づくことがある。「炒める」や「なでる」ですら――いや、むしろ、そうした言葉こそ――私たちは目をとめていないのだ。知っているはずの言葉に注意を傾け、言葉を言葉で表現することは、私たちの生活について、私たちが普段していることについて、私たち自身の理解を広げ、その奥深さや面白さを再発見させてくれるのである。

それから、十全な語釈を探究することは、再発見だけではなく、新発見をもたらす可能性もある。従来の「炒める」の語釈が貧弱なものだったことは先に確認したが、『広辞苑』に限らず他の辞書でも、家事用語には不十分さや抜けが散見されるという（同書二九頁）。これはおそらく、家事をあまり担当しない男性が辞書の語釈を担当するケースがこれまで多かったからだと想像できる。この点でいえば、今回の『広辞苑』第七版の動詞の語釈を女性三人のチームが担当したことには大きな意味があったと思われる。今後も、多様な属性や背景をもつ人々が語釈の再検討に加わることによって、従来は看過されがちだった側面に光が当てられ、私たちの生活のかたちがより豊かに照らし出されていくだろう。

語釈が「完成」に至らないことの重要性

それからもうひとつ、語釈の再検討が文字通りの意味で終了（完成）することはない、という点もきわめて重要だ。それはひとつには、私たちの生活のかたちは時代とともに常に移り変わっていく、ということによるが、それだけではない。たとえば先の「炒める」の新しい語釈は実に見事なものだが、それでも、少なくとも私には違和感がなお残る。なぜなら、「食材同士をぶつけるように動かす」以外の炒め方——たとえば、そろそろと静かにゆっくりと、かき混ぜるように炒めること——も確かにあるように思えるからだ。

今回の第七版以降も、『広辞苑』はずっと改訂を続けていくだろうし、それは他の国語辞書も同様だろう。そのなかで、多様な背景をもつ人同士が集まり、〈この言葉ではまだしっくりこない〉、〈この言葉では……過ぎる〉と頭を絞り、新たな語釈を編み出していくだろう。これこそまさに「言葉の実習」そのものだが、もちろん、辞書の編纂に直接携わる人でなくとも、同様の実習は可能だ。たとえば、ある馴染みの言葉に対する既存の辞書の語釈を題材にして、その語釈の改善案をつくるとか、よく似た言葉同士の違いを既存の辞書よりも上手に説明するといった実習は、学校などでもすぐにできる。いずれにしても、そうした実習は、普段は目立たずに私たちの会話などに奉仕している言葉の奥行きと重要性に、私たちがあらためて目を向ける機会になるはずだ。

「道徳的な贈り物」としての、言葉への迷い・疑い

ところで、先述のカール・クラウスは、言葉に目を凝らし、耳を澄ませ、用いるべき言葉を思慮深く選び取ることは、私たちが果たすべき真に重要な責任であるものの、あまり

に軽視されてしまっていると指摘している。そして、言葉に注意を傾け、しっくりくる言葉を選び取ろうとする際に生まれる〈これではまだしっくりこない〉、〈これでは……過ぎる〉といった迷い・疑い《ツヴァイフェル》を、「道徳的な贈り物」（『言葉』七一三頁）と呼んでいる。これにはいくつかの意味合いが含まれているだろう。

ひとつは、私たちが受け継いでいる文化遺産としての言語には、「駆ける」と「走る」など、無数の類似した言葉が含まれ、互いに複雑に連関し合っているということである。〈しっくりこない〉〈どうも違う〉といった迷いは、類似した言葉の間でしか生まれない。私たちは、迷い、ためらうことを可能にする言語を贈られているのである。

それから、この迷いの感覚がとりわけ道徳的な贈り物であるのは、私たちが紋切り型の言葉の使用に安易に流れることに対して、この感覚が抵抗を示してくれるからだ。一二四頁でも触れたように、日々のコミュニケーションにおいて、ありがちな言葉をテンポよく繰り出しているとき、私たちはしばしば思考停止している。逆に、迷いを常套句でやり過ごさず、言葉同士の繊細なニュアンスの違いを感じ取り、意識的にぴったりの言葉を探すことは、自分自身の思考を開くことにつながりうる。これもすでに、一一五頁で「ニュースピーク」の特徴に絡めて確認した点だ。

しっくりくる言葉を選び取ろうとしているとき、私たちは基本的に、自分にとって既知の言葉の間でしか迷えない。つまり、しっくりくる言葉の候補は、自分がこれまでの生活のなかで出会い、馴染み、使用してきたものたちなのである。それゆえ、そうした言葉の探索は自ずと、これまでの自分自身の来歴と、自分が営んできた生活のかたちを、部分的にでも振り返る実践を含んでいる。

よく、「自分の言葉で話しなさい」ということが言われ、創意のある言葉やユニークな言葉を繰り出すことが無闇に推奨されることもあるが、「自分の言葉で話す」というのは必ずしもそういうことではない。むしろ、ありがちな言葉であっても、数ある馴染みの言葉の中から自分がそれを〈しっくりくる言葉〉として選び出すのであれば、そのことのうちに、これまでの来歴に基づく自分自身の固有なありようや、自分独自の思考というものが映し出される。逆に、「お約束」に満ちた流暢な話しぶりや滑らかな会話は、〈こういう場合は人はこう言うものだ〉、〈こう言うのが世間では正解だ〉という暗黙の基準にしばしば支配されている。それが常に悪いわけではないが、しかしそのときには、言葉に責任をもつべき自分がそこに存在しないことも確かなのである。

ことにしたい。

＊＊＊

言葉をめぐる興味や懸念は尽きないが、そろそろ、本書の道行きにも区切りをつけることにしたい。

私たちの生活は言葉とともにあり、そのつどの表現と対話の場としてある。言葉を雑に扱わず、自分の言葉に責任をもつこと。言葉の使用を規格化やお約束、常套句などに完全に委ねてはならないこと。これらのことが重要なのは、言葉が平板化し、表現と対話の場が形骸化し、私たちの生活が空虚なものになること――ひいては、私たちが自分自身を見失うこと――を防ぐためだ。本書はここまで、この点を跡づけてきたつもりである。

1　クラウス『言葉』〈カール・クラウス著作集 7・8〉、訳・武田昌一 佐藤康彦 木下康光、法政大学出版局、一九九三年
　なお、「言葉の実習」をはじめとするクラウスの言語論の具体的な中身については、拙著『言葉の魂の哲学』（講談社、二〇一八年）の第3章で詳述している。
2　三浦しをん『広辞苑をつくるひと』、岩波書店、二〇一八年

あとがき

昨年来、新型コロナ禍における言葉の問題をめぐって各種メディアに何度か寄稿し、インタビューを受け、テレビやラジオにも出演しました。そのたびに、「言葉にこだわるなんて悠長な話だ」、「言葉の問題などよりも、もっと喫緊の問題がある」という声が届きました。

そうではないということを、本書はさまざまな角度から照らし出そうと試みています。言葉は、私たちの生活において常に喫緊の問題です。言葉の面白さと恐ろしさ、そして、言葉に無関心でいることの危うさに、本書が少しでも迫るものになっていてほしい。最後の節を書き終えたいま、私の胸にあるのはこのひとつの願いです。

＊＊＊

初出一覧にも記した通り、本書は分量という面でいえば九割方が書き下ろしです。ただ、各節のテーマの多くは、二〇二〇年九月から二一年五月まで朝日新聞朝刊に連載していた、各回六百字ほどの短いコラムが雛型になっています。

この連載は、同新聞社記者の大内悟史さんから依頼されたものであり、これを基に書籍化したいというお話も大内さんからいただきました。この一連の働きかけがなければ、私はこのような構成や内容の本を書こうとは全く思わなかったでしょう。その意味で、本書の生みの親は大内さんです。

それから、本書の編集は朝日新聞出版の大坂温子さんがご担当くださいました。大坂さんには、章や節の配置、加筆修正すべき箇所などを、とても丁寧かつ的確にご提案いただきました。そのおかげで、本書の内容は大幅に改善されたと思います。お二人にまず、心より御礼申し上げます。また、校正・校閲の過程では、「くすのき舎」の方々の綿密な仕事に非常に助けられました。記して感謝申し上げます。

ほかにも、本書は多くの方々の御陰を被っています。まず、本書の内容には、旧知の池田喬さん（明治大学）とこれまで交わしてきた幾多の議論や、池田さんの諸論考の影響が色濃く、これとして取り出すのが困難なほどです。また、小手川正二郎さん（國學院大學）と早川正祐さん（東京大学）には、原稿の一部を読んでいただき、有益なアドバイスを賜りました。お三方に深く謝意を表します。（なお、言うまでもなく、本書に含まれているであろう誤りやその他の問題の責任はすべて、私ひとりにあります。）

そして、何より、本書を完成できたのは連れ合いの夏恵さんの御陰です。本書にはたびたび私たちの幼い娘をめぐるエピソードが出てきますが、それは、いまの私の生活の大半が娘を中心に回っているからにほかなりません。夏恵さんが育児・家事の多くの部分を担当してくれなかったら、原稿の執筆、研究・教育活動、その他の校務、どれも到底不可能でした。いつも、ありがとう。

＊＊＊

最後にもうひとつ、個人的な事柄を書き足しておきたいと思います。

私は自分の専門の哲学書をつくる度《たび》、方々に献本するついでに、福岡の実家に住む両親にもだいたい送るようにしています。すると、この分野に全く縁のない彼らは、「難しくて何書いてるか分からなかったが、ページは全部めくった」とか、「ちんぷんかんぷんだったが、文字はすべて目で追った」といった感想を律儀に返してくるのが常です。

まあ仕方がない、と思いつつ、頑張って育てた息子が何をやっているのか分からないというのも寂しいだろうな、とも想像します。こちらはこちらで、自分の親が愉しめない本をいつも書いていることに心残りを感じないではありません。

ただ、今回こそは、この本であれば、面白がって読んでもらえる箇所がそれなりにあるのではないかと期待しています。これまで私の人生の選択を常に尊重し、見守ってくれたことへの感謝を込めて、本書は私の父と母に捧げます。

二〇二一年十月

古田徹也

初出一覧

※本書では、書き下ろし以外の節も、今回の収録にあたって大幅に加筆修正を行っており、原型を留めていないものが多い。（単純計算で、本書全体のおおよそ九割の部分が書き下ろしである。）

第一章

1 「誤用の自由ときらめき」、朝日新聞朝刊、文化・文芸面（二三面）、二〇二〇年九月三日。
2 「綺麗事突き放す「ガチャ」」、朝日新聞朝刊、文化・文芸面（二八面）、二〇二〇年九月一七日。
3 「比喩的表現に満ちた世界」、朝日新聞朝刊、文化面（二八面）、二〇二一年五月二七日。
4 「昔がなくなっちゃう！」、朝日新聞朝刊、文化・文芸面（二〇面）、二〇二一年二月二五日。
5 書き下ろし
6 書き下ろし
7 「「かわいい」に隠れた苦み」、朝日新聞朝刊、文化・文芸面（二九面）、二〇二〇年一二月二四日。
8 「役割を自称する意味」、朝日新聞朝刊、文化・文芸面（二七面）、二〇二一年四月八日。
9 「本当の「社会人」とは」、朝日新聞朝刊、文化・文芸面（三一面）、二〇二一年三月二五日。
10 「またひとつおねえさんになった。」、『潮』第七五一号、潮出版社、二〇二一年八月、二九―三〇頁。
11 書き下ろし

第二章

1 「卒論、作法に頼るよりも」、朝日新聞朝刊、文化・文芸面（二四面）、二〇二〇年一二月一〇日。

2「常用漢字「まん延」の理由」、朝日新聞朝刊、文化・文芸面（三〇面）、二〇二一年四月二二日。
3 書き下ろし
4 書き下ろし
5 書き下ろし
6「空虚さ 慣れてはいけない」、朝日新聞朝刊、文化・文芸面（三三面）、二〇二〇年一〇月一五日。

「自由で民主的な社会の基盤としての「理由の説明」」、「学問と社会の現在とこれからを考える」vol．6、東京大学大学院人文社会系研究科・文学部ウェブサイト、二〇二一年一月二〇日。（http://www.l.u-tokyo.ac.jp/studies/furuta.html）
7 書き下ろし

第三章
1「責任逃れの「〇〇感」」、朝日新聞朝刊、文化・文芸面（二七面）、二〇二〇年一一月一二日。
2「〇〇感、独特の面白さも」、朝日新聞朝刊、文化・文芸面（二八面）、二〇二〇年一一月二六日。
3 書き下ろし
4 書き下ろし
5「濃厚接触で何を連想する？ 哲学者が考えるコロナの言葉」、朝日新聞デジタル、二〇二〇年四月二一日。（https://www.asahi.com/articles/ASN4M64BYN4KUCVL00W.html）
「〈にじいろの議〉新しい状況と新しい言葉 吟味するのは私たち」、朝日新聞夕刊二面、二〇二〇年五月二〇日。
6「呼び名が生む理不尽」、朝日新聞朝刊、文化・文芸面（二〇面）、二〇二一年二月一一日。
7「土地の名を病に使うなら」、朝日新聞朝刊、文化面（二三面）、二〇二一年五月一三日。

8 「ものの呼び名が表す姿」、朝日新聞朝刊、文化・文芸面（三一面）、二〇二〇年一〇月二九日。

第四章

1 書き下ろし
2 「伝統も変化も踏まえつつ」、朝日新聞朝刊、文化・文芸面（二九面）、二〇二一年三月一一日。
3 書き下ろし
4 「「自粛を解禁」の奇妙さ」、朝日新聞朝刊、文化・文芸面（二三面）、二〇二一年一月二八日。
「「自由」「自主」「自立」大事な価値の実質失う」、西日本新聞、文化面（一〇面）、二〇二一年五月一〇日。
5 書き下ろし
6 「型崩れした見出しに危惧」、朝日新聞朝刊、文化・文芸面（二三面）、二〇二〇年一〇月一日。
7 「ニュースの見出しと「言葉の実習」」、『アステイオン』第九四号、CCCメディアハウス、二〇二一年五月、二五二―二五五頁。
8 書き下ろし

古田徹也　ふるた・てつや
1979年、熊本県生まれ。東京大学大学院人文社会系研究科准教授。東京大学文学部卒業、同大学院人文社会系研究科博士課程修了。博士（文学）。新潟大学教育学部准教授、専修大学文学部准教授を経て、現職。専攻は、哲学・倫理学。著書に、『不道徳的倫理学講義』（ちくま新書）、『それは私がしたことなのか』（新曜社）、『はじめてのウィトゲンシュタイン』（NHK出版）ほか。『言葉の魂の哲学』（講談社）で第41回サントリー学芸賞受賞。

朝日新書
845
いつもの言葉《ことば》を哲学《てつがく》する

2021年12月30日 第1刷発行
2023年11月10日 第4刷発行

著　者　古田徹也

発行者　宇都宮健太朗
カバーデザイン　アンスガー・フォルマー　田嶋佳子
印刷所　TOPPAN株式会社
発行所　朝日新聞出版
〒104-8011　東京都中央区築地5-3-2
電話　03-5541-8832（編集）
　　　03-5540-7793（販売）

Published in Japan by Asahi Shimbun Publications Inc.
ISBN 978-4-02-295153-3
定価はカバーに表示してあります。
落丁・乱丁の場合は弊社業務部（電話03-5540-7800）へご連絡ください。
送料弊社負担にてお取り替えいたします。

朝日新書

諦めの価値

森　博嗣

諦めは最良の人生戦略である。なにかを成し遂げた人は、常に多くのことを諦め続けている。あなたにとって、何が有益で何が無駄か、「正しい諦め」だけが、最大限の成功をもたらすだろう。人気作家が綴る頑張れない時代を生きるための画期的思考法。

人事の日本史

遠山美都男
関　幸彦
山本博文

一大リストラで律令制を確立した天武天皇、人心を巧みに摑んだ武家政権生みの親・源頼朝、徹底した「能力主義」で人事の停滞を打破した松平定信……。「抜擢」「出世」「派閥」「査定」「手当」「肩書」などのキーワードから歴史を読み解く、現代人必読の書！

インバスケット経営思考トレーニング
生き抜くための決断力を磨く

鳥原隆志

ロングセラー『インバスケット実践トレーニング』の経営版。コロナ不況下に迫られる「売上や収入が2割減った状況で行うべき判断」を、ストーリー形式の4択問題で解説。経営者、マネージャーが今求められる取捨選択能力が身につく。

税と公助
置き去りの将来世代

伊藤裕香子

コロナ禍で発行が増えた国債は中央銀行が買い入れ続けた。金利が急上昇すれば利息は膨らみ、使えるお金は限られる。保育・教育・医療・介護は誰もが安心して使えるものであってほしい。持続可能な社会のあり方を将来世代の「お金」から考える。

私たちはどう生きるか
コロナ後の世界を語る2

マルクス・ガブリエル
オードリー・タン
東　浩紀　ほか／著
朝日新聞社／編

新型コロナで世界は大転換した。経済格差は拡大し社会の分断は深まり、暮らしや文化のありようも大きく変わった。これから日本人はどのように生き、どのような未来を描けばよいのか。多分野で活躍する賢人たちの思考と言葉で導く論考集。

歴史のダイヤグラム
鉄道に見る日本近現代史

原　武史

特別車両で密談する秩父宮、大宮vs.浦和問題を語る田山花袋、鶴見俊輔と竹内好の駅弁論争……。鉄道が結ぶ小さな出来事と大きな事件から全く知らなかった日本近現代史が浮かび上がる。朝日新聞土曜別刷り「be」の好評連載、待望の新書化。

警察庁長官
知られざる警察トップの仕事と素顔

野地秩嘉

30万人の警察官を率いるトップ、警察庁長官はどんな仕事をしているのか。警視総監の仕事と何が違うのか。どのようなキャリアパスを経て長官は選ばれるのか――。國松孝次第16代長官をはじめとした5人の元長官と1人の元警視総監にロングインタビューし、素顔に迫る。

ベスト・オブ・齋藤孝
頭を良くする全技法

齋藤　孝

読む・書く・話す技術、コミュニケーションの極意、魂を磨く読書、武器としての名言、人生を照らすアイデアの出し方――知的生産をテーマに500冊以上の書籍を書きついできた著者既刊から、珠玉のエッセンスを凝縮した「ベスト本」。頭が動くとはこういうことだ。

世界100年カレンダー
少子高齢化する地球でこれから起きること

河合雅司

未来を知るには、人口を読め。20世紀の人口爆発の裏で起きていたのは、今世紀中に始まる「世界人口減少」への序章だった。少子化と高齢化を世界規模で徹底的に分析し、早ければ43年後に始まる〝人類滅亡〟への道に警鐘を鳴らす人口学者の予言の書。

米中戦争
「台湾危機」驚愕のシナリオ

宮家邦彦

米中の武力衝突のリスクが日に日に高まっている。中国が台湾を攻撃し米国が参戦すれば、日本が巻き込まれ、核兵器が使用される「世界大戦」の火種となりかねない。安全保障学の重鎮が、複雑に絡み合う国際情勢を解きほぐし、米・中・台の行方と日本の今後を示す。

江戸の旅行の裏事情
大名・将軍・庶民 それぞれのお楽しみ

安藤優一郎

日本人の旅行好きは江戸時代の観光ブームから始まった。農民も町人も男も女も、こぞって物見遊山へ！ その知られざる実態と背景を詳述。土産物好きのワケ、関所通過の裏技、男も宿場も喜ばす飯盛女、漬物石まで運んだ大名行列……。誰かに話したくなる一冊！

データサイエンスが解く 邪馬台国
北部九州説はゆるがない

安本美典

古代史最大のナゾである邪馬台国の所在地は、データサイエンスの手法を使えば、北部九州で決着する。畿内ではありえない。その理由を古代鏡や鉄の矢じりなどの発掘地の統計学的分析を駆使しながら、誰にも分かりやすく解説。その所在地はズバリここだと示す。

「檄文《げきぶん》」の日本近現代史
二・二六から天皇退位のおことばまで

保阪正康

2・26事件の蹶起趣意書、特攻隊員の遺書、三島由紀夫の「檄」など、昭和史に残る檄文に秘められた真実に迫る。天皇（現上皇）陛下の退位の際のおことば、亡くなった翁長前沖縄県知事の平和宣言など、印象に残る平成のメッセージについても論じる。

60歳からの教科書
お金・家族・死のルール

藤原和博

60歳は第二の成人式。人生100年時代の成熟社会をとことん自分らしく生き抜くためのルールとは?〈お金〉〈家族〉〈死〉〈自立貢献〉そして〈希少性〉をテーマに、掛け算やベクトルの和の法則から人生のコツを説く、フジハラ式大人の教科書。

頼朝の武士団
鎌倉殿・御家人たちと本拠地「鎌倉」

細川重男

実は〝情に厚い〟親分肌で仲間を増やし、日本史上・空前絶後の万馬券〝平家打倒〟に命を賭けた源頼朝、北条家のミソッカスなのに、仁義なき流血抗争を生き抜いた北条義時、二人の真実が解き明かされる、2022年NHK大河ドラマ「鎌倉殿の13人」必読書。

どろどろの聖書

清涼院流水

「世界一の教典」は、どろどろの愛憎劇だった!? 今、世界を理解するために必要な教養としての聖書、超入門編。ダビデ、ソロモン、モーセ、キリスト……誰もが知っている人物の人間ドラマを読み進めるうちに聖書がわかる! カトリック司祭 来住英俊さんご推薦。

京大というジャングルでゴリラ学者が考えたこと

山極寿一

ゴリラ学者が思いがけず京大総長となった。世界は答えのない問いに満ちている。自分の立てた問いへの答えを探す手伝いをするのが大学で、教育とは「見返りを求めない贈与、究極のお節介」。いまこそジャングルの多様性にこそ学ぶべきだ。学びと人生を見つめ直す深い考察。

朝日新書

防衛省の研究
歴代幹部でたどる戦後日本の国防史
辻田真佐憲

2007年に念願の「省」に格上げを果たした防衛省。15年には集団的自衛権の行使を可能とする「安全保障関連法」が成立し、ますます存在感を増している。歴代防衛官僚や幹部自衛官のライフストーリーを基に、戦後日本の安全保障の変遷をたどる。

いつもの言葉を哲学する
古田徹也

哲学者のウィトゲンシュタインは「すべての哲学は「言語批判」である」と語った。本書では、日常で使われる言葉の面白さそして危うさを、多様な観点から辿っていく。サントリー学芸賞受賞の気鋭の哲学者が説く、言葉を誠実につむぐことの意味とは。

となりの億り人
サラリーマンでも「資産1億円」
大江英樹

ごく普通の会社員なのに、純金融資産1億円以上の人が急増中。元証券マンで3万人以上の顧客を担当した著者は、共通点は「天引き習慣」「保険は入らない」「ゆっくり投資」の3つだと指摘。今すぐ始められる、再現性の高い資産形成術を伝授！

他人をコントロールせずにはいられない人
片田珠美

他人を思い通りに操ろうとする人、それをマニピュレーターという。うわべはいい人である場合が多く、他人の不安や弱みを操ることに長けている。本書では具体例を挙げながら、その精神構造を分析し、見抜き方や対処法などについて解説する。